大家小书

俞平伯说昆曲

俞平伯 著
陈均 编

北京出版集团公司
北京出版社

图书在版编目（CIP）数据

俞平伯说昆曲 / 俞平伯著；陈均编. — 北京：北京出版社，2019.12（2024.7重印）

（大家小书）

ISBN 978-7-200-15038-4

Ⅰ. ①俞… Ⅱ. ①俞… ②陈… Ⅲ. ①昆曲—研究 Ⅳ. ① J825.53

中国版本图书馆 CIP 数据核字（2019）第 096425 号

总 策 划：安　东　高立志　　责任编辑：王忠波　张　帅

· 大家小书 ·

俞平伯说昆曲
YU PINGBO SHUO KUNQU

俞平伯　著
陈　均　编

出　　版	北京出版集团公司
	北京出版社
地　　址	北京北三环中路6号
邮　　编	100120
网　　址	www.bph.com.cn
总 发 行	北京出版集团公司
印　　刷	北京华联印刷有限公司
经　　销	新华书店
开　　本	880毫米×1230毫米　1/32
印　　张	8.875
字　　数	147千字
版　　次	2019年12月第1版
印　　次	2024年7月第2次印刷
书　　号	ISBN 978-7-200-15038-4
定　　价	49.80元

如有印装质量问题，由本社负责调换
质量监督电话　010-58572393

总　序

袁行霈

"大家小书",是一个很俏皮的名称。此所谓"大家",包括两方面的含义:一、书的作者是大家;二、书是写给大家看的,是大家的读物。所谓"小书"者,只是就其篇幅而言,篇幅显得小一些罢了。若论学术性则不但不轻,有些倒是相当重。其实,篇幅大小也是相对的,一部书十万字,在今天的印刷条件下,似乎算小书,若在老子、孔子的时代,又何尝就小呢?

编辑这套丛书,有一个用意就是节省读者的时间,让读者在较短的时间内获得较多的知识。在信息爆炸的时代,人们要学的东西太多了。补习,遂成为经常的需要。如果不善于补习,东抓一把,西抓一把,今天补这,明天补那,效果未必很好。如果把读书当成吃补药,还会失去读书时应有的那份从容和快乐。这套丛书每本的篇幅都小,读者即使细细地阅读慢慢地体味，也花不了多少时间，可以充分享受读书的乐趣。如果把它们当成补药来吃也行，剂量小，吃起来方便，消化起来也容易。

我们还有一个用意，就是想做一点文化积累的工作。把那些经过时间考验的、读者认同的著作，搜集到一起印刷出版，使之不至于泯没。有些书曾经畅销一时，但现在已经不容易得到；有些书当时或许没有引起很多人注意，但时间证明它们价值不菲。这两类书都需要挖掘出来，让它们重现光芒。科技类的图书偏重实用，一过时就不会有太多读者了，除了研究科技史的人还要用到之外。人文科学则不然，有许多书是常读常新的。然而，这套丛书也不都是旧书的重版，我们也想请一些著名的学者新写一些学术性和普及性兼备的小书，以满足读者日益增长的需求。

"大家小书"的开本不大，读者可以揣进衣兜里，随时随地掏出来读上几页。在路边等人的时候，在排队买戏票的时候，在车上、在公园里，都可以读。这样的读者多了，会为社会增添一些文化的色彩和学习的气氛，岂不是一件好事吗？

"大家小书"出版在即，出版社同志命我撰序说明原委。既然这套丛书标示书之小，序言当然也应以短小为宜。该说的都说了，就此搁笔吧。

俞平伯与昆曲

陈 均

在二十世纪文化史上，除人们所熟知的红学家、古典文学学者、新诗人等称谓与专业之外，俞平伯还有另外一幅"肖像"，这幅"肖像"原本比较私人化，随着时间推移，这幅"肖像"并未黯淡色彩，反而愈加清晰。也即，俞氏还是一位具有象征意义的昆曲家。二十世纪五十年代之后，有"南赵北俞"之说，便是指上海北京两地曲界的中心人物，创建上海昆曲研习社的赵景深与创建北京昆曲研习社的俞平伯。俞平伯与赵景深的经历颇有些相似之处，都是少年时为新文学作家，得大名。后在大学任教，以古典文学研究为业，尤倾心昆曲。但二人又有不同之处。俞平伯在北大读书时受吴梅亲炙，后与许宝驯结为良缘，曲学更乃是家学。而赵景深则是在大学执教后，因教授古典文学与戏曲而开始习曲，其夫人李希同亦好昆曲，有"赵家班"同台演出之轶事。

关于俞平伯的昆曲生涯，张允和、王湜华、朱復等俞平伯的友人及研究者已有所叙述。大抵而言，俞平伯之于昆曲，渊源应是来自吴梅的北大课堂。我曾查寻《北京大学日刊》，见及吴梅的学生即有俞平伯之名。但专注习曲，则是在许宝驯的熏染之下，妇唱夫随。许家为书香门第，先世兄弟八人，倒有五位翰林，全家皆擅昆曲。俞平伯伉俪居于清华园秋荔亭（俞氏《遥夜闺思引》序云"过槐屋之空阶，如聆风竹；想秋荔之秋雨，定湿寒花"），延师习曲，创立谷音曲社，与三五同好，"发豪情于宫徵、飞逸兴于管弦"，一时陶陶之乐。

俞平伯于1956年创建北京昆曲研习社，担任主委。其后的一桩大事便是排演节本《牡丹亭》，由华粹深整理改编，延请四位传字辈艺人入京传授，整台戏全由业余曲友敷演。排演过程由1957年至1959年，经过多次试演，最终在1959年10月正式公演两场，作为建国十周年的庆祝。此事在当代昆曲史上最是值得一书，因业余曲友串演全部《牡丹亭》，此或是头一回也。1982年后，由于许宝驯去世，又因文革时受曲社之事连累，遂不再参加曲社活动。虽则如此，从现今所见的一些资料来看——如与叶圣陶的通信，后以《暮年上娱》为名出版，谈曲仍是一大宗主题。可见俞平伯也并不能如太上之忘情也。

此次编选《俞平伯说昆曲》，我细细阅读了俞氏关于昆曲的撰述。俞氏谈论昆曲的篇什并不多,在其文字著述里所占比重较少,大约俞氏视昆曲为业余爱好吧。其特点在于,这些文章,他更多是作为一位昆曲家而非研究戏曲的学者来写就,其兴趣、其立场、其专攻大多是在度曲,也即在其研习昆曲过程中的"人与事"以及心得。也正因为如此,为这些文章分类也成为头疼之事,因曲人、曲事、曲文都是混杂在一起,很难截然分开。因此,我将之勉强分为三类,即书中的三辑:第一辑以曲事为主,如谷音社、北京昆曲研习社、应邀写剧评序论等,虽然关涉曲学,但多是因事而发,故以为一辑。第二辑为曲学,以谈论度曲的文章为主,如探讨昆曲的音韵、唱法、改编等。第三辑为《牡丹亭》,俞平伯曾撰《牡丹亭赞》一文,此文篇幅较长,而且以一位痴迷昆曲的新文学作家的视点写出,实乃一篇奇文。我曾撰文证之为新文学作家探讨"绝丽文章"之作,与其师友周作人废名等人的探求相呼应,惜少有人知也。故以《牡丹亭赞》为主,附上俞氏探讨《牡丹亭》数文,专为一辑。

俞氏对昆曲界的影响最深远之事,至少有二:一是民国时期创立谷音社、共和国初期创立北京昆曲研习社,谷音社犹是彼时曲社之一叶,然北京昆曲研习社为京中曲社之集合,可谓彼时曲界之大事。1996年,北京昆曲研习社庆祝成立四十周年,将整理印制的曲谱命名为《谷音曲谱》。另一是为《振飞曲谱》作序,文中以"吴下红木作打磨家具"释"水磨",成为今人对昆曲之"水磨"的"常识"。从俞氏与叶圣陶之通信可知,此"常识"却是出自叶氏。

在俞氏最早写作的昆文里,有"昆曲将亡"之语甚是触目惊心,我最初在《盛京时报》上读及,再读《燕郊集》,发现此文已易名。如今重读,仍能感觉俞氏对昆曲衰落之激愤与痛心也。俞氏又谓"昆戏当先昆曲而亡",又云昆班曲社皆零落,确乎能感受俞氏为中国文化为昆曲放一悲声也。

以往最少人注意但又最能说明俞氏之曲学的,乃是俞氏辨析字音的几篇文章,如对《琴挑》的"华"与"花"、《游园惊梦》的"借"与"惜"等,俞氏之倾向在于并不专信古书或曲谱,而注重口传心授之经验,如在校正《胖姑学舌》之时,他便言及自身之体会:"前辈艺人,口耳相传,并不专靠书本,固然有些地方不免默守陈规,而先正典型亦得以传留。所以工师的传钞本,字迹即使讹错满目,而字音大致不远,不以形求而以音求,往往十得八九"。这些文章,读来感觉俞氏将词曲之学与度曲之道相互印证,每有精彩之处也。

作为一位身处于昆曲衰微时代的曲人曲家,其亲历昆曲的几起几落,然后一切似乎都在走向末途,从少年时代的"昆曲将亡"，大半个世纪过去了，但昆曲之命运并无好转，是非成败皆会成空。犹记昔年在定福庄习曲时，朱復先生常语及俞氏，亦是有二：一是纪念俞氏诞辰110周年，说虽然北大及社科院不纪念俞先生，但昆曲研习社办曲会纪念。另一是彼时教曲，必然会拍俞平伯1963年所撰《临江仙》，此处录之：

　　惆怅西堂人远，仙家白玉楼成。可怜残墨意纵横。茜纱销粉泪，绿树问啼莺。
　　多少金迷纸醉，真堪石破天惊。休言谁创与谁承。传心先后觉，说梦古今情。

此词虽是俞氏为《红楼梦》而作。但经陈宏亮谱曲，朱先生以苍迈之音唱来，堂中众生合咏，尤其是唱至"休言谁创与谁承。传心先后觉，说梦古今情。"便觉古今悠悠，心热情至，而昆曲之运命仿佛系于一身。此景距今又已十余年了。至今思之，不觉惘然也。

己亥四月廿一日于未名湖畔

目 录

第一辑 曲 事

003 / 论研究保存昆曲之不易

007 / 为何经海募款启

008 / 谷音社社约引言

010 / 《秋兴散套依纳书楹谱》跋

012 / 许闲若藏同人手钞《临川四梦谱》跋

014 / 忆清华园谷音社旧事

019 / 吴梅村萧史青门曲读本叙言

021 / 《松梅风雨》观后记

023 / 《新编彝陵梦》序

025 / 祝北方昆曲剧院建院之喜

027 / 看了北方昆剧的感想

034 / 关于昆曲的几首旧诗词

038 / 《红霞》演得很成功

042 / 谈弋阳腔《还魂记》剧本

045 / 谈华传浩新著《我演昆丑》

052 / 《振飞曲谱》序

055 / 《华粹深剧作选》小序

057 / 致赵景深四札

062 / 致叶圣陶

085 / 关于北京昆曲研习社的材料

095 / 关于上海昆曲研习社及其主持者赵景深

第二辑 曲 学

099 / 《玉簪记》寄弄首曲华字今谱不误说

103 / 词曲同异浅说

113 / 论作曲

122 / 与友人论宫调书

126 / 再与友人书

132 / 与汪健君书论正声变调

137 / 再与汪健君书

142 / 谈《西厢记·哭宴》

149 / 续谈《西厢记·哭宴》

159 / 谈《琵琶记》

165 / 我看《琵琶记》

168 / 校订《西游记·胖姑》折书后

第三辑 《牡丹亭》

175 / 《牡丹亭》赞

233 / 杂谈《牡丹亭·惊梦》

250 / 说"借"字古今音读与《牡丹亭·惊梦》

255 / 《牡丹亭》"丹"字的用法

第一辑 曲事

论研究保存昆曲之不易 ①

世或谓昆曲为雅音非也,以昆曲为古音亦非也,以昆曲为国乐亦非也。雅乐不存久矣。唐代所用之燕乐,胡乐也,其宫调则苏祗婆之琵琶也,而词曲者燕乐之余,而昆曲者词曲之末也。北曲兴而词亡,磨调盛而北曲亦衰。今之昆腔南曲之一体,而绳北于南,故南之面目犹得十之五六,北之而目所存不逮十之二三也。然今不欲言中国音乐则已,欲言中国之音乐自不能弃之而勿道,盖仅存之乐府惟此而已,仅存而稍完整之乐府惟此而已,比较近古之乐府惟此而已,其音节犹明中世之遗,此固显然可见者。

溯"皮黄"之兴不过数十年,而昆曲唯余一线矣。非皮黄

---

① 载《盛京时报》1935年4月17日、20日,题为《昆曲将亡》,署名"平伯"。收入《燕郊集》(上海良友图书印刷公司1936年印行)时易名为《论研究保存昆曲之不易》。

足以亡昆曲；即皮黄足以亡昆曲，亦不必如此其骤也；不必如此其骤而今竟如此其骤者，则社会缔构变迁之急遽有以使之然也。岂独昆曲然哉，即谓中国文化全部在崩溃中，亦非过言也。故居今之世而言提倡昆曲，固属痴人说梦，即言研究保存又谈何容易哉。

或以为工谱具在，则研究之保存之似不难，且今之工谱法密于古矣（如叶谱不点小眼，今之工谱不特点小眼且有略注锣段者）而不知其非也。尝谓昆曲之最先亡者为身段，次为鼓板锣段，其次为宾白之念法，其次为歌唱之诀窍，至于工尺板眼，谱籍若具，虽终古长在可也。然谓昆曲谱不亡则可，谓昆曲不亡则不可，后之人将只见一大堆简单之工谱，乌睹所谓昆曲也哉。编制较完善之曲谱而流传之，诚不可缓也，然此足尽保存研究之事乎，则未可言也。

张宗子曰："余尝见一出好戏，恨不得法锦包裹之，传之不朽。"今世虽曰科学万能，而法锦包裹之法似尚未发明。故昆戏当先昆曲而亡。今之昆戏班，南北各有其一，好坏姑不论，零落总可悲也。鼓板锣段宾白，乃附属于戏者，戏场一散无所依附，而灭亡随之。以余所知，今之曲师精鼓板锣段者已寡矣，后之视今将复如何。盖以数十年培养之，数百年授受之人才而将泯灭于一旦也。

宾白之视歌唱,其研究保存之难易有间焉。谚曰"一引二白三曲子",言宾白之难于歌唱也。且歌唱有谱可按,宾白虽亦载谱中,而其念法,全凭口授,如同一阿呀,同一嘎唷也,而其声音之高下,情致之哀乐不同。求之于书,书中不见也,以心度之,则中者寡不中者已多矣,将奈何?

即以歌唱言之,歌唱虽存于工谱之中,而工谱固不足存歌唱之全者。魏良辅曰:"矩度既正,巧由熟生",非规矩之外别有所谓巧也。但纸上谈兵无非糟粕,非特不足以尽巧,并不足以正矩度也。矩度之正,其在人乎。要之,声歌要诀唯传口耳之间,此无可奈何者,求诸文字吾未见其有合也。故词衰而有词谱,曲衰而有曲谱,非谱之足以亡词曲,词曲将亡不得不赖谱以传之也。其幸而传者希矣。

然则昆曲将亡得一干二净乎,是又不然。其不亡之光景有二,一曰不必全亡,二曰变质的存在,兹先说后者。以上所言,言昆曲之将急遽澌灭也,然昆曲之亡,不必亡于澌灭,且将亡于绲乱也。澌灭而亡与绲乱而亡,一也,其所以亡则不同。澌灭者无余之谓,绲乱则其形迹尚存,似澌灭之亡剧于绲乱也。然澌灭虽今不存,而后犹有可考,绲乱则并异日可考之机缘而失之,是绲乱之为患不必下于澌灭也。如今之昆曲,积渐为伶工所改,已不尽合于古,欲追复之而无从矣。然其所传犹有授受之实不可诬也，虽不合于古，亦不必谬于古也。若师心自用，以意为之，则异日之颠倒错乱当有不可说者，以付炬火，或饱蠹鱼，其谁曰不宜，而又何保存研究之有。

在今日而欲言保存研究，如何而可乎？曰无他，先存伶工之传耳。欲言复古，则古不可复也，亦不必全复；欲昌明之于来世，则吾未见来世有可以昌明之道也。但卑而勿高，但述而不作，曰存今而已。就今日之可存者存之而已。今既存，则以之规往可也，以之开来亦无不可，提倡即在保存之中，非保存之外别有所谓提倡也。

如前者南方有"昆曲传习所"之设，以其不为社会所赏，遂若昙花一现，然已足以仅存昆曲之一线于数十年中，此在昆曲史上不得不大书特书者也。今则为仙霓社，已零落不全矣，在上海觅一剧场犹不可得，即其上演之时，亦多敷衍苟且，技日益退，盖生活既难，识曲者日少也。余在北京初学拍曲时，犹有两曲社，今则并一曲社而无之，后之视今当犹今之昔矣。

昆曲之亡是必然也，其幸而不全亡者则在有此癖好者之努力及社会上之扶植耳。事最平淡，无取夸张，高谈阴阳律吕，风俗人心，则非浅学所知矣。

为何经海募款启

尝闻擅场识曲,岂独桓伊,思旧感音,何须向秀。曲师何君经海,生长鹂坊,久羁燕市,垂髫辛苦,下世畸愁。观其引吭转声,抑扬可法,拍檀弄笛,宛转有情,而饥驱软尘,唯堪一饱,栖根幽壑,难得伸眉。重以旧京日莫,霓羽凋零,瞻念穷途,促其年寿,遂于癸酉残夏,客死宣南,缁帐勿悬,谁怜孤嫠,一棺蹔泊,萧寺尘凝。窃谓劬颜苦学,士夫所难,食力固穷,君子之操,成一技之微,积结身之瘵焉。同人或聆音奏,或问宫商,风絮水萍,都为缘法,似妙声犹未绝,恍冥契之已遥,欲广赙赠,期在贤达,廉泉让水,泽被孤寒,弱椟残魂,家山可望,仁者之心庶几远矣。此启。

一九三六年

谷音社社约引言[1]

夫音歌感人，迹在微眇。涵咏风雅，陶写性情。虽迹近俳优，犹贤于博弈，不为无益，宁遣此有涯。然达者观其领会，则亦进修之一助也。故诗以兴矣，礼以立矣，终曰成于乐；德可据也，仁可依也，又曰游于艺；一唱而三叹，岂不可深长思乎。或以为盖有雅郑之殊，古今之别焉。不知器有古今，而声无所谓古今也；乐有雅郑，而兴感群怨之迹不必尽异也。磨调作于明之中世，当时虽曰新歌，此日则成古调矣。其宫商管色之配合，虽稍稍凌杂，得非先代之遗声乎。其出字毕韵之谨严，固犹唐宋之旧也。夫以数百年之传，不能永于一旦，虽曰时会使然，亦后起者之责耳。同人爰有谷音社之结集，发议于甲戌之夏，成立于乙亥之春。譬诸空谷传声，虚堂习听，寂寥

---

[1] 载《燕郊集》俞平伯著，上海良友图书印刷公司1936年印行。

甚矣，而闻跫然之足音，得无开颜而一笑乎。于是朋簪遂合，铖芥焉投，同气相求，苔岑不异。声无哀乐，未必中年，韵有于喁，何分前后；发豪情于宫徵，飞逸兴于管弦。爰标社约，以告同侪。

一九三六年

《秋兴散套依纳书楹谱》跋

东篱此套一名"秋思"，即《中原音韵》评为"万中无一"者，为元人套数之冠，久有定论矣。而百年以降清奏不作，良足惜也，顷检叶谱（其正集卷三），将欲和以鼓笛，聆其曲折，虽非弦索九宫之旧，亦先代遗声之幸存者也。

惟叶谱不点小眼，其凡例曰："板眼中另有小眼，原为初学而设，在善歌者自能生巧，若细细注明转觉束缚。"其言良是，奈我辈皆是初学，遂颇觉其不便。又谱中遇小腔每不悉填，而细微之符号，如豁腔擞腔均缺，此殆非古人度曲与今异，乃谱者欲吾人自得之之又一例也。得二三素心，过我荒斋，灯明夜永，相与按拍，非畴昔之一乐欤。

谱以首二字为名，题曰"百岁"，似未妥，今用原题。文字亦小异。各书载此套文字本多歧出（详见任编《散曲丛刊》第十三，页八十以下），亦难定其孰近真。兹既遵用其谱，自无取乎纷更。却有两例外,《离亭宴煞》曰"争名利何年是彻",叶作"争名利何年彻",此四字句,争名利是衬,则"是"字自不可少,今补入。又同曲,"便北海探吾来",叶"便"作"倘",审词意当以作"便"者为佳,盖谓纵有佳客如孔北海者来,亦当告以马东篱醉了也,是以清峭见其疏俊,若作"倘"则平实矣。工谱尚可通用,故未改。

北曲遇入声字,分隶三声,此通例也。书中固析之甚详,曲家亦见而识之,惟于初学又颇不便,怯者或望而却步,勇者或以意为之,斯亦未为得也。今不避烦絮,依《中原音韵》悉为注明。

一九三五年十月十八日记

许闲若藏同人手钞《临川四梦谱》跋

曲乃乐府之一体。尝谓元杂剧与《琵琶记》实为双绝，得《临川四梦》鼎足而三，遂成一代之文章，余耽之有年矣。闲若表弟喜有同嗜，遇鸳湖陈君延甫年六十余，精研剧曲数百折，绰有渊源，而吾侪所肄才什之一二耳。居尝叹其浩瀚，俱其放佚，欲理董之而力不逮。今兹闲若将有远行，行有日矣，选四《梦》通行之剧若干折，属谷音社社友分写之，不特京国嘤求之念，而海天寥廓，旅夜未央，披文则丹墨犹新，读曲则四上竞气，亦一消遣法也。同人既各有所赠，莹环为抄"花报""瑶台"。余拘牵俗事几无以塞责，《紫钗·七夕》一折传唱甚稀，唯《红楼梦》第十八回元妃所点《乞巧》疑即此出。兹用叶谱酌加小拍，为君书之，草草不恭，殊可恨也。音节近伯嗜《赏秋》而排场较幽静，文辞则《紫钗》所独，他人固万万不到，即其他三《梦》中亦无此等浓艳。四《梦》有四种笔墨绝不相因，斯已奇矣，而复有异样之脂饧粉涴，疑幻疑真，才不可测也。昔释丽娘一《梦》尚未卒业，今欲兼详四《梦》岂可得乎。且期卒吾业于斯，裱褙之工将不赀，闲弟虽或不以为苦，而捆载尔许之小册页以下海舶，吾恐英伦之房东娘娘将啧啧叹异咤为希有矣。

丙子夏五识

忆清华园谷音社旧事[①]

久羁燕市，岑寂寡欢。昔赵景深兄在沪主编《戏曲》月刊，扶持雅奏，属写谷音社概况。而苦忆零星，不可重拾，譬之商飙起蘋末，履迹俄空焉。而欲以非童稚之心，渐远之年时，追寻其所以迹，事固稍难，意复甚痴也。无奈重违其命，为搜尘箧，勉赘燕词，而此刊旋停。顷《论语》有癖好专号，宠征及余，而寂寞穷居欢惊甚少，姑以此塞责。吾社旧侣各在天涯，或有寓目之缘，以之代缥缈鳞鸿，信编者之惠也。

欲书曲社之缘起，宜先明同人嗜曲之经由。昔既不能悉忆，今亦不可骤得，则仅可言吾一己之经由耳。然仆之事殆无足言者。余妻莹环之学曲，先于余者十六七载，犹在清之季世也，其所习则殊不多。余于己卯北来，丙辰入学。丁巳秋成

[①] 原载1947年3月16日《论语》一二五期。

婚。偶闻音奏，摹其曲折，终不似也。后得问曲学于吴师瞿安，至巳未春（八年四月），师于课外借红楼中教室开一歌曲班，从之者不多，余仅习得〔南吕宫〕〔绣带儿〕二支，且无是处，引吭发声，颇为特别，妻及许闲若弟常引以为笑也。其后萍踪江海，此调遂久置不弹。至甲子冬日重至京华，在蒋慰堂兄座上，识鸳湖陈延甫君，聘其拍曲。又获缔交于刘凤叔汪棣卿诸耆宿，遂滥竽京中曲社者有年。己巳夏陈君南归。庚午秋移居西郊清华园，癸酉夏（廿二年）集三五同好延何经海君拍曲，历时甚暂，而兴会弥佳，惜何旋病殁，犹忆其最后所授之曲为《双红记·青门》也。其时住清校南院七号，即后所谓秋荔亭者是也，闲若方肄业于斯，昕夕为侣。时来游者则浦江清朱佩弦二兄，而朱君之夫人陈竹隐女士则能曲。又以江兄之介，得识汪健君陈盛可二兄，而唐佩金兄及其夫人汪胜之女士则住南院十一号，衡宇可望，时相过从焉。以何身后萧条，募赙送其孥归，是有公启，盖已具谷音社之雏形矣。文见《燕郊集》中，以概见何君之生平焉。

其年仲秋南归，至嘉兴访陈延甫，事见日记，亦存集中。至次年甲戌新正（廿三年），陈遂二次北来，住清校附近，浦唐汪陈及杨文辉兄均从之游。于春夏之交，发议结社，于某日夏晚在工字厅首次公开曲集，乙亥新正十四（廿四年）于同地二集，其时犹未有社之正式组织，而对外已用谷音社名义，以冀稍得学校之补助。二月十三日（廿四年三月十七日）在平寓所开成立会，作首一次同期。用二月十五为花朝之说，定为本社成立之日，以后每用旧历者以此。遂定社约，选职员，以平主其事，并通过同期细则，规模差具焉。其时社员十有四人，后来者二十，共三十四人。中有因事暂时离社者，实际曾在社度曲者二十有四人。

社约，"爱好昆曲者亦得入社"，以校中皆同事同学，又僻居西郊而嗜大调者不多，其限制不得过严也。是谷音社友不尽为曲家，与通常曲社稍异。复有名誉社员之目，以延致不在同地之曲友及校中之提倡昆曲者，凡十人，校外六，校内四。

成立之日即议聘吴瞿安先生为导师，同人校理曲谱每得就正。先生并寄赠手订《桃花扇·哭主》曲谱，于吾社颇致拳拳。二十五年夏，余返吴门，晋谒于蒲林巷之百嘉室。先生约余夫妇及吴中曲友数人宴饮小集，其时已缘喉疾不能歌而精神弥健，不谓数年间，关山戎马，遽病殁于云南之大姚，竟不获刍酒之奠，发蒿薤之音，人天缘阻，怅恨如何。

丁丑之夏，社侣云散，延甫亦于次年春南归，社事陈实终始之。其人未多学问而持身朴拙，至饶古意。能剧三百余折，余等所肄习仅三之一而弱。陈于吹笛以外，鼓板金奏尤熟而老，口讲指画原原本本，且于曲文之音读曾有所受，有些殆明清以来三百余年相传之旧读，尤为难得。壬午年闻南中消息，云仍在禾，已老病矣。

据社中记录，甲戌丁丑四年之间，在学校公开曲集凡七次，同期十八次，在公园水榭宴集一次，曲目凡九十三折，以《琵琶记》为最多，得十二折，《长生殿》十折次之，《还灵记》七折又次之。

卢沟变后，南迁社友曾在昆明西山王瞻岩处聚会，到者五人，浦君江清有《沁园春》，其词曰："漫客天涯，如何不归，归又何为。向华山昆水，暂留我住，碧鸡金马，住亦堪悲。惟遣高歌，欣逢旧雨，心逐梁尘相伴飞。忘情处，命玉龙哀笛，着意狂吹，古今多少情痴，想小玉丽娘信有之，叹消魂桥畔，牡丹亭侧，琅玕刻遍，谁曾相思。一曲霓裳，凄凉九转，劫后河山满眼非。承平梦，望吴宫燕阙，早感黍离。"

其居北平者仅六七人，全亦意趣阑珊，不再招集同期，曾有四绝句柬谷音同人曰："初按香檀拍未匀，酒边撅笛几辞频，谁知都似开天想，翻作淋铃夜雨新。鹤归城郭又如何，未必中年哀乐多。唱得《牡丹亭》一曲，寒花荒草总成窠（**记社友谭君李龙语**）。虹桥东望水溅溅，小屋西窗大道边，三五闲纵灯晚聚，撞金伐鼓共喧阗。自惜芹泥补垒痕，沙虫旷劫久难论。一从渡得桑乾后,烟树年年绿蓟门。"

沦陷期间,曲集亦间有之,而谷音不复作矣。余曾有《鹧鸪天》柬许士箴君,其潜盦曲集,余每从之游,亦可见当时之心情矣。"顿老铃调不复闻,马头别调散秋云,独教梁魏风流远,歌咏承平四百春。稀旧赏,倦芳尊,藕丝孔里息闲身。玉龙吹彻寒消未,红药花时又访君。"此词社友汪健君兄以为可作一部昆曲史读也。

一九四六年二月修订稿

吴梅村萧史青门曲读本叙言

是篇秾丽芊绵,与《永和宫词》堪称双璧,导源长庆,冰水增寒矣,尝窃爱诵之。夫满洲入关,此中夏之变局,生民之厄运,非一姓兴亡之比也。当时易代之感,与夫身世之悲,盖有不能质言,不敢昌言者,乃借儿女情踪,曲譬而善道之,好一似浔阳商妇琵琶低眉信手时也。集中诸歌行,大若邦家之起灭,小至闺房之纤琐,靡不傅彩舒声,熔裁入妙,遂开前人未到之境界,诚近代之瑰观哉!顾览者不察,或贵远而贱近,或以人废言而苛摘夫前修,岂乎情之论乎?于是偷闲发愤,就斯一曲,肆意笺评,明知不登大雅之堂,难动学人之听,终归于无益耳。然余之晚学即蒙学也,故仍以读本名之。忆昔先君与长次两姐居吴门老屋时,好谈诵吴梅村诗,余时年幼,仅知有《四书》《五经》,茫乎未解所谓,及今垂老,犹有一二童稚之见,已不获趋庭侍坐,相与说古道今,斯则尤可痛惋也。

靳氏《集览》久播艺林，亦颇伤繁，兹选录少分，间有檃括，用墨笔写；拙评及补正靳注处，均朱书以辨别之。昕夕点涂，丹铅杂置，放笔声中，惘然自失，悲哀之玩具，有如斯者夫，良未必贤于博弈也。

时一九六四年十二月七日大雪节俞平伯识于京华

《松梅风雨》观后记[1]

中国之剧均歌唱与道白相间,而以歌唱为主,故道白称宾白也。西洋则有纯话或纯歌之剧,而以古典歌剧为世所重,殆欧美之所同也,话剧流行于我国三四十年矣,而歌剧无闻焉。此殆音谱方面无人努力故耳。北平歌剧协进会顷始有《松梅风雨》之创演,听者如云,余亦乘暇而往,见其情绪颇为紧张热烈。音乐配合或幽抑,或高亢,或悲或喜,更能曲曲传达剧情,则吾友张君肖虎之苦心制作也,张君复殷殷垂询其可否,余于音乐为门外汉,何能为他山之益,惟念音乐者,民族精神所寄托,为社会教育之辅导,不仅抒写个人之哀乐已也。以肖虎治学之精勤,作人之恳挚,英年事业,未有艾也。至剧情方面,西洋歌剧每为极伟大之场合,或敷演文艺,或取材历史,

---

[1] 原载1946年8月31日天津《大公报》。

其剧院布置亦壮丽矞皇,今兹限于人力财力及时间,尚未足与之颉颃,实承望更于百尺竿头进一步也。归后灯前,漫为之记。

时一九四六年八月十四日

《新编彝陵梦》序[①]

以白话行文盖自古有之,非今人所独。唐宋以来口语已侵入词曲小说之域,特不用之于高文典册而已。戏剧自宜于用白话写,但亦得分别观之。元曲似不很重说白,因曲子已够明显晓畅,故称道白为宾白,宾者异于主之谓也。作曲者每将正文写好,而把科诨等等交托给伶工们。惟孔云亭作《桃花扇》,其科白悉自已经意为之,并不许他人妄改,那时情况与古差异。

盖作曲本贵曲白相生,及明代南曲磨腔流行,音调愈长,节拍愈缓,文辞愈雅,遂渐与宾白分界,而歌舞科诨各具一格,俗所谓唱工戏做工戏是也。是否合理,亦颇难言。我认为并无不可。何则?曲子的本身以管笙吹奏,宛转悠扬,"文"

---

① 原载1948年4月23日《华北日报》。

固然听不懂,"白"亦未必就听得懂,曲文虽雅固无碍也。昆曲之不能盛行于今日,当别有原由,文词之过雅,特其一端耳。至于道白必须醒豁,不但骈偶之句最忌,即口语之古式者用时亦宜斟酌;进一步言之即不妨近代化,若胡元俚语之视文言亦五十步与百步之比耳。

余怀斯见久矣,顷者高步云先生携来《新编彝陵梦》一剧,系与吴熙曾、周方立两先生合著者,属写序言。余观其套数体格一仍旧规,曲词用文言而参以白话,宾白悉如今人语,剧情则采近年抗日战事,虽仍用生旦登场,而关系家国之兴衰,洵能于小见大,因微知著矣。其曲白科介之分配,得雅俗之宜,亦与余平素见解有暗合之处,故乐为之书。

一九四八年戊子暮春识于北平

祝北方昆曲剧院建院之喜

北方昆曲剧院不久将正式建立，是昆曲界的一件大喜事。时值仲夏，葵榴竞放，象征着这古老的剧种将不仅吐它的幽芳，而且要呈现它的华采，跟首都的人民来见面，有韩世昌、白云生、金紫光三位来主持，我们深为剧院庆得人。我相信，在他们的倾慕下，得许多艺人前辈和青年同志们的合作，北方昆曲剧院的前途是不可限量的。

我们不必再回溯这传统的剧种衰微的时候，过去经历的困苦艰难和辛勤的奋斗，让我们用舞台的实践来响应党和政府的关怀和号召，让我们为"百花齐放，百家争鸣"的更进一步的实现来欢呼。在首都业余的昆曲社团，像北京昆曲研习社，将不断地得到剧院同人的指教，而提高业务的水平。我们也将尽可能地，无保留地供献出我们微薄的力量。

北方昆曲剧院现在虽不过几十人的组织，有了这样很好的基础，一定会逐渐发展成为全国昆曲中心之一。前辈的艺人把平生绝技无所吝惜的传授给青年演员，这样就克服了现今存在的中间一代较瘦的困难，使接班的队伍壮大起来。用艺术的实践和广大的群众见面，以切磋琢磨而得到进步是必然的。除此以外，传授的工作也十二分的重要。昆曲已有数百年的光辉历史了，还要存在下去，还要发展下去。若到了我们这一代而中断，那我们如何对得起多多少少的曲苑舞台的前辈和无穷尽的新生力量呢。凡爱好昆曲的朋友们都将引以自勉。北方昆曲剧院便是这项工作的重心。他们在研究、演奏和传习上一定得到多方面的成功，我代表我们曲社敬致衷心的，深深的祝贺。

看了北方昆剧的感想[①]

我前些日子看了北方昆曲代表团在北京的汇报演出,有韩世昌、白云生、侯永奎、马祥麟、侯玉山和其他多位,他们都工力深厚,演得很认真;又青年学生的演奏,成绩也斐然可观。我对北方昆曲家的公开演出,在这里预祝他们的成功。关于昆剧发展的前途和我们昆曲界怎样结合,也有一点个人的看法,写出来请大家指正。

"昆曲""昆腔""昆剧"这些名词,有一个容易引人误会之点:既名昆山腔,那就是地方戏;昆山在江南,又那里有什么北方昆剧呢!要解释这个误会,第一必须寻讨昆曲的渊源,它跟唐宋元明以来,中国音乐戏剧的种种关系;第二必须考察明嘉靖魏良辅创调后,四百年间在全国范围内昆剧分布的

---

① 原载1957年2月11日《人民日报》。

情况、发展的历史。这是专门论著或专书的事,决非这里三言两语所能说得明白的。我们不妨就目前的实况粗略的一谈。

它跟唐宋的大曲杂剧,金的诸宫调,元的北曲,元明的南曲这些千丝万缕似断仍连的关系,放着不谈,即看今日实际的情况,便知道昆曲决非仅仅一地方的曲调,它综合"南曲"各派而加以发展,在明朝末年又把北方的弦索调(即"北曲"的支流)归并了去。昆曲也决非地方戏,不但北京有它的昆剧,河北高阳有它的昆剧,即其它地区如湖南、云南也各有它的昆剧。昆剧基本上只是一个,却有各种流派,如京昆、北昆、湘昆、滇昆。这些流派并非宗派,并不该各立门户,互相排斥;相反的,在昆剧的大家庭里正呈现着百花齐放的盛况。我们若认为只有苏州一带的,或者稍广一些,"苏松太杭嘉湖"一带地区的昆剧,才是真正的老牌,那就忽略了历史的事实,把自己给封锁住、局限住,而把曾经通行全国的昆剧贬降为地方戏了。当然,另一方面,怎样保存明代魏良辅创始的"水磨调"较多的昆曲传统,也是非常重要的。

再具体一点,就剧目说,有些剧目在江南已经没有了,却在全国其它地区还保存着。不久以前在上海会演,北方昆戏有一些南方没有的,特别是武戏。我们从前把昆剧叫着"文班戏",其实昆剧是文武兼备、连唱带做的剧种,不只缓歌曼舞，也能够慷慨悲歌，起打火炽。它不但为过去文士们所欣赏，而且曾为广大农民所喜爱。它的表演，有时"太文"，不喜欢昆曲的就说它"太瘟"，却亦未尝不可相当的改变。如那次汇报演出，其中有《牡丹亭》的《拾画》《叫画》。这是冷静的"独脚戏"，最容易唱"瘟"了，而白云生先生演这个戏却生动活泼。听众很欢迎，不觉得沉闷。我们应该在保存原来的优秀传统的基础上，使昆曲相当的通俗化。我们必须争取更多的观众，扩大社会上的影响，昆剧才能有新的生命。

字音跟工谱密切配合是昆曲的一个特点，我们试从字音应该准确这个角度来看。昆曲既上承金元的传统，所用字音本不应偏于南。但"磨调"既产生、通行于江南，唱曲的南人居多，则字音自然而然地偏南了。正规地说，南人用土音来唱昆曲并不对，用北方土音当然也不对。明代的曲学专家每有正吴音之讹的说法。如沈宠绥《度曲须知》曰："平上去三声南北曲十同八九，其迥异者入声字面。"我们正不必一定赞成这些专家复古的说法，但南音都对北音全讹，却是误解。要北方人先学会了苏州话再来唱昆曲，试想哪有这个情理。昆曲的字音，自有它一套正规、传统、习惯的念法，是否需要改变，牵涉很广，这里不及详论了。

昆剧并不局限于某一地方，从上边的说法即可明白。继南北昆剧会演之后，首都又将有昆剧机构之建立，将使它成为名副其实的全国性的古典戏剧。对这空前的盛举，我抱着无限乐观的希望，同时又感到这工作非常艰巨。在清代中叶以后，昆曲曾有过一段长时间的衰落，我们自当十分警惕，引为前车之鉴。怎样改进、怎样补救，需要大家来共同商讨。有一点似乎可以肯定的：若不经过改革，便不会有前途，非但谈不到发展，并且谈不到保存。《十五贯》便是个很好的范例。

怎样进行改革，是目前一个主要的课题。改革不可能一步做到，必须有步骤。所谓步骤，首先要了解情况。所谓情况，不只是书本上的，而是戏台上的（也包括曲台上的），会唱会演的人必须多唱多演，给大家听听看看到底怎么样。我常觉得曲子跟诗词有些不同，它必须经过唱演才生动起来，活泼起来，饱满起来。仅从书本上看，有时会觉得曲子写得不如诗词。这或者是我个人的感觉，却不知大家亦有同感否。譬如《琵琶记》，经过唱演更觉得它纯用白描，深厚处不可及。又如《单刀会》，也因经过唱演，大家更体会到它的雄浑潇洒，痛快淋漓。再举我看了"北昆"演出所感到的一个实例。《西游记》的《胖姑》，我对它不熟悉，在曲会里听过，印象也不深，似乎没有什么特别的好处。最近看了韩世昌先生的演出，方才觉得这剧本真写得好，能表达出乡村女孩子一片天真烂漫的神情。曲文读来好像平平的一片，经过舞台上的表演，便显得突出了。有多少层次，有多少筋节，呆板的文词便活跃起来。原来平面的，现在化为立体；原来像只幻灯，现在却像有声电影了。曲子的好处不单靠朗读就能够了然的，必须要歌唱；歌唱还不够，有时还必须扮演。通过舞台上的实践，才能真正地决定一出剧本的好坏。我一方面盼望艺术家们为我们多上演，另一方面也盼望主持文化的领导们多给他们演唱的机会，增进群众对昆剧的了解，给它以正确的评判。

怎样演唱？我以为宜先照原来的演法上演，有些可作为内部观摩的节目。有了改本的，原本亦不可全废。即以改革得成功而出名的《十五贯》而论，将"双熊"的两条线索改为一条是对的。但原本《十五贯》"男监"一场，写两兄弟落难相逢，非常凄惨动人。又原本"见都"一场，太守击鼓，巡抚不得已升大堂接见，空气紧张；改本的写法，击鼓以后，在书房内待之良久，虽深刻地讽刺了大官僚，却跟那时可能有的实际情况有些不合。至于随便把原本精彩的场面给"精简"了去，那更不妥。如一月二十六日《人民日报》载川剧《幽闺记》的初次改本，把投宿旅店一场干脆删掉。假如当时整理这剧本的人曾参考过昆曲，便知"招商串戏"为昆曲《幽闺记》流传最广的一折，就不至于把它轻易勾消了。昆剧的改革固十分重要，却应该适当地和保存相结合。改革的目的原为去其糟粕，留其精华，使群众能够更好地接受它。

这次看了韩世昌先生演《牡丹亭·惊梦》，身段神情之好固不待言。他接着"老路子"演，浅显的如梦神出场一段便没有删去，我认为是对的。因有了梦神出场，就划清了醒梦的界限。否则杜、柳二人相逢，便交待不清楚，使观者容易迷惑，而且梦神那个老头儿逗引柳梦梅出来，使他慢慢地和杜丽娘会面，后来他就溜了，身段神态都很有趣，删了未免可惜。主张删去这一段的理由，假如在于破除迷信；那么，花神难道不是迷信，为什么又不删呢？

我并不是说《惊梦》全不能改。事实上"堆花"一场，已非汤若士原本所有，本来是后添的。只要添得好，又何尝不可呢。"堆花"这一段，用艳阳天气万紫千红的场面，渲染出青年男女的恋爱，既美丽又庄严，且能表现出梦境的迷离惝恍来。借这《惊梦》中梦神花神两桩简单的事例，就说明了增也可增，删也可删，改是可以改，只要改得好就行。谁都想改好，谁想改坏呢？重要的是，客观上的效果能否符合主观上的企图。文人书房里的空想，从舞台上的实践而得到纠正；剧本的改编亦因参照了研究的成果而更加圆满。这样就可以避免"原封不动"和"任意妄改"的两种偏差。

总的说来，昆曲是综合的艺术。在祖国的文化遗产里，它是最广泛、最丰富的综合艺术之一。我们可以从多个不同的角度去接近它；如音乐原理演奏方面、文字方面、文学史方面、语言音韵方面、戏剧方面、舞蹈方面。要觅这样全才的曲学家，以前固不曾有，以后怕也不会有。因此我们只能依靠群众的智慧，发挥集体的力量。全国各地的昆剧团体需要团结起来，即广大的昆曲界也应该团结起来。

关于昆曲的几首旧诗词

在1932~35年,我曾和清华大学爱好昆曲的同志们有谷音曲社的组织;最近在北京有昆曲研习社的组织,当这"百花齐放、百家争鸣"的时候,这古老的剧种又"花开枯树再逢春"了。下边录二十年来我写的关于昆曲的旧体诗词。并略附说明注释。

1936年柬谷音社旧友绝句四首录三
(时为北京沦陷的第二年)

初按香檀拍未匀,酒边撷笛几辞频。谁知都似开天想,翻作淋铃夜雨新。

鹤归城郭又如何?未必中年哀乐多。唱得牡丹亭一曲,寒花荒草总成寰。(庐沟事变初起,我犹住清华园,谭季龙先生来访，曾唱牡丹亭拾画，"寒花遶砌荒草成窠"即拾画折曲词。想象那时故居光景，当仿佛近之。）

虹桥东望水溅溅，小屋西窗大道边，三五闻踪灯晚聚，撞金伐鼓共喧阗。（虹桥在燕京大学北，循马路过桥东南，即清华园。谷音社于1936年春夏间，曾向学校借得路旁小屋三间，为练习锣鼓之用。举行次数不多，以事变中辍。）

许潜庵曲集题赠"鹧鸪天"一首
（时日失记，北京陷敌已数年矣）

顿老钗弦不复闻。（顿仁，明正德间旧乐人，工于"北曲"。乃金元之旧，非今昆腔中之北曲也。据云有大和弦、花和弦、钗弦之别，盖指节拍而言。）马头别调散秋云。（与昆腔约先后同时者有"南马头调"，今亦无传。）独教梁（伯龙）魏（良辅）风流远，歌咏承平四百春。稀旧赏，淡芳尊。（杜诗："玉觞淡无味，胡羯岂强敌。"）藕丝孔里息间身。（佛经故事：天帝与阿修罗战，神龙下宿藕丝孔。）玉龙吹彻寒消未？（姜白石词："又却怨玉龙哀曲。"玉龙，笛名。）红药花时又访君。（许士箴先生居近景山，门临御河，对故宫东角楼，擅庭园之美，其时常招约同侪曲会。）

一九五二年"鹧鸪天"一首

鸳水流风迹既陈。（昔年学曲于嘉兴陈延甫先生。陈能昆曲数百折，文武场面俱精。）吴歙俦侣散如云。（有怀昔年在北京之听春、双星、味歙、和平、珠萦、谷音、潜庐、藕香曲社诸友。）城东鹪寄三椽屋，无恙兵戈历岁春。（蔽庐近齐化门，已历三十余年。）

兼北语，几南人，朋簪际合岂无因。玉量珠转浑闲事，（吴梅村诗："一丝萦曳珠喉转，半黍分明玉尺量。"）赢得闻歌醉耳新。（史邦卿词："惊醉耳谁家夜笛。"）

叶圣陶先生和前词一首（戏叙所闻诸曲）

潜托琴心夜诗陈（玉簪记琴挑）。灞桥离绪乱如云（紫钗记折柳阳关）。陵辞恳切宁辜汉（牧羊记望乡）。僧意缠绵忽感春（时剧下山）。金雀女，月车人（金雀记乔醋）。渔舟寄迹有前因（渔家乐藏舟）。年来夙好成稀赏，半日偷闲曲曲新。

一九五七年和董每戡先生"金缕曲"一首

一曲嘉隆旧。(昆腔创始于明嘉靖隆庆间)。叹跫然足音空谷,阒寥良久。欣遇莺啼花开日,多少朋来聚首。(时方有北京昆曲研习社之组织。)总梁魏风流难又。(吴梅村诗:"里人度曲魏良辅,高士填词梁伯龙。")慢转珠喉低按拍,只怀庭成法犹堪守。(叶堂,字怀庭,清初人,著有纳书楹曲谱,为唱昆曲之准绳。今所谓"橄榄腔"唱法,殆犹有叶氏遗韵。)启兰秀,青年秀。(今曲社社友有年仅十余龄者,唱演扫花游园等剧颇佳。)岭梅驿使怀琼玖,海南天彩云飞堕,馨时盈袖。(董任广州中山大学教授,惠写金缕曲二首,情文恳挚,有梁汾容若之风。)身后是非问得失,(陆游诗:"身后是非谁管得,满村争唱蔡中郎。")评泊琵琶能究。(1956年中国戏剧家协会有琵琶记讨论会,初与董先生相遇,持论颇有契合处。)记京国初逢把酒,慕想董公真健者,更春深陌上重来候,歌下里,为君寿。

《红霞》演得很成功[①]

北方昆曲剧院最近上演他们所编新昆剧《红霞》,并且获得胜利成功,是昆曲戏新生开端,也是昆剧发展历史上一个划时代的转折点。我很荣幸,得到观摩学习的机会。在这里想谈一点个人对于新型昆剧的看法。

一个剧种的生存和发展,有它一定的原由,决非偶然。首先,它的存在、它的评价,由观众来决定。在社会主义社会里,在生产跃进的伟大时代里,戏剧的主要观众,便是工农。剧种的存在,决定于劳动人民的爱好与否。自然,戏剧必须通过舞台艺术的实践,但舞台艺术不能孤立地看。它若不跟时代客观的需要相结合,好比无根的花,无源的水。

戏剧要有光辉的前途,必须向群众开门,必须为劳动人民

---

① 原载1958年8月31日《文汇报》。

所喜闻乐见，这都不成为问题。问题在于：拿什么跟群众见面？即使我们干劲十足，将"戏"送上门，但他们不爱瞧，或者虽爱瞧却看不懂听不真（你想，不懂怎么能够爱瞧呢？）也是枉然。就昆戏来说，这个问题的解决，格外迫切。我认为新型昆戏至少得具备三点：（1）写新人、新事物、新风气、新道德。（2）用现代的普通话来写。（3）适当改变传统乐谱的作法，使它生动活泼，激昂慷慨。

这三点说起来似乎没有什么问题，而做起来却很不容易。因为一种艺术有它的特点，一个剧种也有它的传统。要改变则可，不但可以，而且很必要。但也只宜适当的改变。新京戏还应当是京戏，新昆戏还应当是昆戏。不然，就等于另行创建新歌剧，这自然也极好，却是另外一回事了。既然要照顾某个剧种的传统，则具体如何处理，各个剧种之间便存在着大同小异。昆剧既是现今存在最古老的一个剧种，有悠久的传统，是它的优点；同时也限制了它的发展和变革，未尝不是缺点。所以旧戏新排，实际上是一种新旧的斗争，也是矛盾的统一。

回看《红霞》的编写和演出，我觉得以上三个变革的要点都大体做到了。就效果说，能够使观众们看得懂，听得懂，也喜欢看，也喜欢听。北昆剧院的领导同志很虚心地来问我有什么意见，我说很好，很成功，这并不是敷衍门面话，是真实话。一个昆曲的爱好者，多年的梦想一旦实现，你想我是怎样的高兴啊。不但如此，梦想是否完全实现了呢？也不。我怀着更大的梦想，更大的喜悦。恕我再多说几句。

老实说，"北昆"要创编新昆剧，我早已听说了。是否真对它有信心，抱乐观呢？也未必完全这样。因为我的看法总是偏于保守的。我知道昆剧很古老，很需要改变；同时我又觉得正因为它的古老，怕很难改革。现在《红霞》演出的成功，证明我的想法是杞人之忧，离敢想敢做却差得远。无谓忧虑的打破，积极梦想的实现，是非常愉快的。却不止于此。这条路打开之后，新昆剧就有了广阔的前途，无限的远景。我相信《红霞》是打响了第一炮，以后还有，以后还多，以后更大。就北昆剧院说是这样，就广大的昆剧界、昆曲界说更应当这样。在昆戏的范围内，也可以现出百花齐放的盛观。

这里可以从另一角度来看，剧院的同志很恳切地希望我指出它的缺点。我实在说不出多少，却不妨指出一点，听了《红霞》以后，有一个广泛的感觉，昆曲味似乎太少了一些，有些曲牌还有点听得出，有些就不大听得出了。这是一个问题。有些同志早已提过了，我不必再多说。那么，和上文我说的"很好很成功"，是否冲突呢？不。我认为不妨有各种各样、丰富多彩的新昆剧；有离老昆曲远一些的，有近一些的，有大型的，有小型的。既要创新，那就大家都敢想敢说敢做，不必再为过去一些不必要的清规戒律所束缚。

红霞灿烂，照彻尘寰，是昆戏改革一个胜利的开端，仅仅是个开端。也正因为是开端，所以格外重要，俗语所谓"开头难"。上文说过，新昆剧有离老路子远一点的，也应该有近一点的。就《红霞》来说是远了一点。我却认为第一炮必须这样狠狠地打破陈规，才能够为来者开无限法门。《红霞》的序幕，有人不大赞成。但这开始雄壮激烈的气氛，比过去的闹场吹打等大不相同，使我感到很兴奋，对新昆剧的改革增加无限的信心。

我说"很好，很成功"。将来还要更好，还有更多更大的成功。

一九五八年八月二十七日

谈弋阳腔《还魂记》剧本[①]

这次江西省古典戏曲演出团演出的《还魂记》,古调新弹,把原作的个性解放和对封建主义的斗争,表现很鲜明;同时,真实传达艺术上美妙的气氛。我能有观摩的机会,很为快慰。我曾读过它的剧本,现在就剧本的改编来谈一谈。

要估计改编的成绩,首先要看到,《还魂记》是不容易改编的。它是我国戏曲中的名作,文字艰深晦涩,有些也过于香艳。如不改写,则妨碍普及。如改写,便有点金成铁的危险。它的实质,是诗又是戏;篇幅很长,原本有五十五折之多。如要紧缩它,也很困难。如重在保存诗意的佳作,自不免删减情节;反之,如求故事的比较完整,对于旖旎缠绵的文章,即必得割爱。二者不能兼顾。若要兼顾,剧本势必至于冗长了。

---

① 原载1959年6月10日《北京晚报》。

因之，剧本的改编，如从舞台实践中，得到群众的赞赏，就算成功了，不宜对它有过高的要求。诚然，有些缺点，却是完全可以理解的。例如本剧，"寻梦""写真"合为一场，就不太妥当。那时杜女还没有病，如何能说："十分容貌怕不上九分瞧"呢？原作本是两折，现在却不得不合拢来。又如"训女延师"开场，交代家门，但是全剧演至"花发还魂"（即原作之"回生"）为止，下边都删去了，于是杜宝、杜夫人、春香都没有下落。这应当说比较大的缺憾吧。但不就"回生"煞住，却也很难。再往下演，时间就过长了。除非改成连台本戏，就现在情况来说，对观众又是不方便的。

就现在本子来说"花发还魂"也有三个缺点：（1）关于情节的。原本赖头鼋本是石道姑的侄儿。石姑帮助柳生，所以他才肯开棺。今本不上石姑，则赖大对于柳生不过一个普通的雇工而已，如何肯冒这杀头的大险来干这事？（2）关于角色布置的。末场花神同上，当然为了增加气氛，却使观众容易迷惑。这不比"惊梦"中的"堆花"。人神混杂，即生死界限不明，因而"还魂"这个主题也显得不那么鲜明了。（3）关于文词的。要修改《牡丹亭》的词句原很难。今本中所改，也有些比较适当的。只有最后一场几句，完全是现在的白话，另是一种笔墨，不但离原本太远，就依弋腔改本的本身看来，也不大调和。不知可以改写一下么。

上边不过就个人的感想,作为漫谈。这剧本的写成,当必费了很大的劳力。它在舞台上的表演,在首都已获得美满的成绩,是应当肯定的。在音乐方面,弋阳的腔格经过加工,场面经过改进,加了文静的乐器,仍能保持原来的风格。这也是值得称道的一件事。

谈华传浩新著《我演昆丑》[①]

华传浩先生近有《我演昆丑》一书，由陆兼之先生笔录。我对于舞台艺术是外行，但平素爱好昆曲，对于"副净"和"丑"两种角色更感兴味，这里略说我的"读后感"，以作介绍。

第一，本书编制是妥当的，大约有下列四个优点：

（一）这书开头"谈昆剧丑、副两角的区别"，也大略谈到"十门脚色"。我国旧剧分"生旦净末丑"，即所谓"家门"，和话剧不同。"家门"是从具体的社会各阶层人士的性格形态提炼出来的，它具有一定的典型性。本书从这里开头，有提纲挈领的作用，我觉得很扼要。对丑副两角的分析自更细致精当。旧剧"打花脸"的意义也是复杂的，虽有时表现坏分

[①] 原载1961年10月4日《文汇报》。

子，有时却不然，不得简单地认为侮辱劳动人民。如本书十页所举的《艳云亭》中的诸葛暗，他既贫穷，又瞎了眼，却是个有骨气、胸襟、抱负的人，古之所谓"风尘侠客"。按剧情来体会，意义深长，不应多用"噱头"来表现。我喜欢像这样的角色，也非常喜爱一切的爽直质朴、敢于勇猛抵抗黑暗的"小花面"。在这些地方，我都和华先生抱有同感。

（二）注重基本动作，并有许多有教育意味的照片。他从"手、眼、身、步"四法中，特别提出"步法""手法"来谈，已抓住了要点。他说："步法是根本，好比树有根，水有源。"（第二十四页）可以说是基本中的基本罢。舞台上的动作和表情都和这"步法"相配合。如名角一出台，他还没开口，就吸住了群众，虽亦和眼神身法等有关，台步怕是最主要的。业余演员往往比不上专业演员，未尝不由于基本训练较差的缘故。我在这里原是十足的外行，不能多谈了。

（三）使我特别感到兴味的是他谈到关于学习的态度。不论那一行，无论学什么，你要想学习得好，要想学有专门，艺有专长。首先，必须端正学习的态度，否则便将一无所成。华先生是个爽快豪迈的人，和他接近的大都会有这样的感想，但他不断地虚心地向前辈学习请教，加以个人的钻研获得了成功。如本书"前言"中为我们讲了一个向王老先生学《盗甲》

的故事。王先生的认真，华先生的好学，这不仅是艺人中的佳话，且为学人端正学习态度的很好范例。

（四）本书后半有一节专谈"配角"。他提出"一台无二戏"的基本观点，并说："有些青年演员不愿演配角，或者不很重视配角的表演，都是错误的。"（一四六页）可谓语重心长。昆曲界——曲会和昆班都有这样的一个传统：重视搭头（即配角）。不论任何人，都要为他人搭配，彼此相助。例如曲会的老前辈，在"同期"时，总乐于做搭头的。这是协作的精神，集体力量的表现。咱们既有这个传统，必须好好地保持着，且更应当把它推广开来。就丑副两行来说，在昆剧里虽不少由他们主演的专戏，但更多的是做搭头。不仅是牡丹须靠绿叶扶持，有时且是"画龙点睛"之笔；机趣的发挥，不只使剧情活跃，而且旁敲侧击，起讽刺的作用。如本书一五二页上提到《乔醋》终场时的彩鹤，他学着潘岳下跪，并说道，"一世的话靶"，彩鹤虽是个小孩子，对他这风流才子式的主人也并不怎么佩服，所谓"谈言微中"。其实古人所谓"滑稽"（见《史记·滑稽列传》），正和这相类似，并不像现在把"油腔滑调"认为滑稽。

第二部分，也可以综合地就我想到的举出两点来谈，怕不完备。

（一）上边说过，他曾向前辈多方面学习。但他后来又发挥了创造的精神。在本书比较突出的例子，如《红梨记·醉皂》一折，他说明并无师承，是自己琢摩出来的。我一向没有这出戏，因为丑角用扬州白，我不会念；同时我看了曲谱觉得这皂隶太胡闹，也不怎么喜欢它。从前曾看过天津曲友王麟卿先生演过，也不大记得了。及至在北京看了华先生的演出，觉得很幽默，有醉人风趣，不过火，不胡闹。现在看了本书，原来如此，顿觉恍然，且有故友重逢之乐。华先生是爱酒的。记得我曾对他谈："您喜欢喝酒，所以演得格外传神。"——这自然是句笑话。会喝酒的都会演《醉皂》吗？怕也不见得罢。从本书这一节看，他有他自己的体会和看法，比别人所演有多少区别，谁优谁劣，我都说不上来，却认为华先生的创造精神，即使他的演法还有一些缺点，已是值得重视的，何况他还取得了成功呢。我们固要努力向前人老辈学习，但也必须反对"墨守成规""陈陈相因"，这样，才能够"推陈出新"。

（二）本书也相当地发挥了思想性，这和创造性是分不开的。如上述《醉皂》里，作者体会到这皂隶陆凤萱究竟是怎样的性格，这就含有思想性在内。本书谈《相梁》《刺梁》《芦林》有些改变，表现思想性的成分更多。至于具体的改革完全妥当与否，是另一个问题。试从思想性的角度来作"戏改"，这方向是正确的。我们不应撇开思想性来谈技巧，也不能单纯地空泛地谈思想性，二者是有机的综合。华先生从他的多少年舞台实践中来谈昆剧的改进，使人觉得头头是道，亲切有味。

其他不能一一地介绍了，我谈的不过如此。此外还有一些个人的零碎意见，附带写在下面。

（一）如《渔家乐》这只九天玄女赐的宝针怎样交代的问题。（**本书在四九页上已说："还待进一步研究。"**）按说，这是糟粕部分，所谓"戏不够，神仙凑"，我却觉得很难改。首先，必须交代清楚。如不交代明白，则《刺梁》一折演来，观众会不明白，邬飞霞一个弱女子，如何能把大个儿、鲜龙活跳的梁冀一下子刺死了呢？这和《刺虎》《刺汤》迥不相同。再说，不能是毒针。这也有两点：（1）这毒针那里来的呢？（**四九页已说**）（2）即使毒针，也没有这般厉害，也不能杀人杀得这样快啊。所以毒针不能解决问题，最后只剩得宝针了。旧本有《赐针》一折，借鲇鱼来当面试验，明场交代。现在虽不必用明场，但交代总是必要的。否则《刺梁》照现在的路子演，便失掉了根据。如大大的改变《刺梁》的刺法，也有很多困难。

另外谈一点。何谓"糟粕"，辨别起来不简单，须从实际方面来分析，如《渔家乐》里马融和他的女儿瑶草的斗争，所谓"由命不由人，由人不由命"。表面上看，似乎"由人不由命"是正确的，"由命不由人"是迷信、落后、唯心的。实际上恰相反。主张"由人不由命"的是奸党的马融，主张"由命不由人"的是善良朴素的马瑶草。因所谓"由人不由命"的真正意义，并非人定胜天，更非相信人民的力量，乃是"君相造命"，封建统治者要怎么办就怎么办的意思。马瑶草说"不由人"，就是不许他们胡为，不信他们能够胡为到底；所说"由命"，乃提出更高的权力来压倒他们。天命自然很渺茫，提得有些勉强。他还不能提出人民的意志力量来，这是历史的局限，本不足为怪的。《渔家乐》借了善良人士（包括一部分劳动人民）和统治恶势力的斗争来表现它的主题思想，还是应当肯定的。

（二）时剧《下山》折，和尚俊扮的问题。我不反对俊扮，但觉得近来的演出扮得似乎太俊了些。先从《思凡》说起。小尼姑的装扮本很有问题，实际上她扮了《玉簪记》的陈妙常。如用曲文来对照，"正青春被师你削去了头发"，但她分明是有头发的。"如何腰系黄绦，身穿直裰，见人家夫妻们洒乐，一对对着锦穿罗"，但她又何尝不是遍身罗绮呢，在这里却无法改。旦角自有它艺术上的形象。如把舞台上的赵色空，扮成真的尼姑，便与细腻的唱演等等都不相合，而使观众觉得十分可笑。

  这样《下山》的和尚似乎更应该俊扮,穿着花褶子了。我却认为不尽然。以家门论,他是丑角应行。假如扮得太俊,那剧中的身段道白等等都显得粗了一套,不大调和。思凡的不能丑化,下山的不宜太俊,是同样的原故。我觉得小和尚穿深色褶子,脸上略为抹一点白粉,大约依着老路子,这样表演起来会更自然一些,对于剧中的唱词道白也更适合一些,舞台上的效果或者会更好一些。这类个人的看法,浅近的外行话,还恐怕不一定对,请原著者、笔录者和读者们指正。

《振飞曲谱》序[①]

昆山腔,南曲之一派,盖明初即有之。及嘉、隆间,太仓有魏良辅者,凤娴旧曲,喉转新声,清唱南词,曰水磨调,以宫商五音配合阴阳四声,其度腔出字,有头腹尾之别,字清、腔纯、板正,称为三绝。古代乐府(包括宋词、元曲)于声辞之间,尚或有未谐之处,至磨调始祛此病,且相得而益彰,盖空前之妙诣也。其以"水磨"名者,吴下红木作打磨家具,工序颇繁,最后以木贼草蘸水而磨之,故极其细致滑润,俗曰水磨功夫,以作比喻,深得新腔唱法之要。吴梅村句云:"一丝萦曳珠盘转,半黍分明玉尺量。"柔刚遒媚,曲尽形容,若斯妍弄,庶不负此嘉名耳。

磨调始作本是"清工",及其开展必兼"戏工"。初以之

---

① 载《论诗词曲杂著》俞平伯著,上海古籍出版社1983年版。

唱《浣纱记》，吴梅村诗所谓"里人度曲魏良辅，高士填词梁伯龙（辰鱼）"是也。其后各传奇均采用之，声情舞态，海内风行。弦索调乃元曲之遗，用七音阶，至明中叶尚存，其后寖衰，亦以水磨调法奏之，而仍用二变声，南北曲遂合，称为昆腔昆曲，而磨调之名转微。

易代以来，翠舞珠歌，风流弥盛。清长洲叶堂，字怀庭，承前启后，著有《纳书楹》各谱，总曲剧之大成，为声家之圭臬。其讴歌窾要，工师秘授，旧曰"传头"者，娄县韩华卿得而传之于同邑俞氏，迄今昆曲界犹说"俞家唱"也。

昔吴瞿安师为粟庐丈作家传云："得叶氏正宗者，惟君一人而已。"见渊源之有自，不仅推许之隆也。振飞先生承华家学，驰誉艺林，八秩高龄，怡神宫徵。新编《振飞曲谱》，增广一九五三年旧谱之二十九折为四十折，并附零支若干。譬诸堂庑恢扩，藏益琳琅，鸣鹤子和，声闻远迩已。其曲白要解二篇，鸳鸯绣出，更度金针，要而不烦，曲而能达，此前修所未详，足以兴起来者。旧工尺谱今改用通行简谱，以便青年学习，盖为昆曲前途久远计也。

若其父作子述之美，声应气求之盛，吾知一编行世，将与寰区人士广结因缘，薪火留传，俾先代元音绵绵不绝，斯真颐年之胜业,岂惟近世之珍闻哉!仆少悦里讴,长惭识曲,承命作序,谊不可辞,葑菲之采,或有取欤。

一九八一年四月

《华粹深剧作选》小序[①]

我国戏剧自元明以来，别启新芬，蔚成大国，以其兼歌唱、身段、道白诸美，绘影绘声，深入而显出，较其他文艺之感人，盖尤为直捷也。近世更注重教育意义，去芜存精，遂有戏剧改革之创举，百尺竿头更进一步矣。

粹深教授兄系出名门，长而笃学，于旧京名剧博闻多见，梨花评泊如数家珍。与寒家有世讲之谊，肄业清华大学中国文学系时，忝同砚席。主讲南开大学三十年，及门桃李，彬蔚称盛焉。

余缔交于君，始自"九一八"，海桑屡易，共保岁寒。在清华园时，同嗜昆曲，结谷音社。及五十年代，又偕君改编《牡丹亭》，缩全本为一剧，由京中曲社试排，于一九五九

[①] 原载1982年3月《文汇》月刊第三期。

年参加建国十年庆祝献礼,在北京长安戏院演出两场,舆论称可。此《记》流传日久,前后轻重不匀,今本删繁就简,不免顾此失彼。而为吾辈共同参与"戏改"之一事,则可记也。

君寓居天津,与小儿润民同在一地,往还密迩相契。予与老妻亦曾访贤夫妇于南开校舍,偕游醵饮,至乐也。每期后会,讵意曾几何时,遽尔长别耶!君年甫中寿,不获于明时展其素抱,增采艺林,志长运促,恸惜何言!身后及门诸子辑其遗著曰《剧作选》,有新京剧、改编河北梆子、"听歌人语"等,都三十万言。予观场时稀,于"戏改"茫无津涯,不胜评价是书之任。勉缀数语以充喤引,兼志吾人之交谊于毋忘耳。

一九八一,九,二二,北京

致赵景深四札 ①

（一）

景深先生：

　　您在京时得多次会晤，非常欣快。曲会顷已成立，在请市文化局备案并予支持中。社章亦已通过，拟约请先生为本社联合社员，盼时赐指导。一俟局方批准后即发聘函，先此预约。余情张定和兄当面陈。此致

敬礼

弟
俞平伯启上
八月二十五日北京 ②

---

① 原刊"香港文学"1999年8月号。
② "北京昆曲研习社"成立于1956年8月19日，此信当写于该年。

附奉社章一份。

通信址：北京朝阳门内老君堂七十九号

（二）

景深①吾兄：

前承赐以论曲新著，感谢感谢！因事羁答，尤歉。曲社友人亦多有收到者，均嘱笔致谢。此书所收论文均精辟，甚佩。其论《还魂》《琵琶》尤多卓见。如云《牡丹亭》丽娘有三次斗争：一《延师》与杜宝，二《学堂》与陈最良，三《兹戒》与杜母，甚是。昔在曲社改编《牡丹亭》，以剧过长，删去《延师》《学堂》二折，盖未见及此也。如论《琵琶记》牛氏性恪不甚完整，她让赵五娘居上，应在心理上有矛盾，而原书缺然，弟意旧本《伯喈》既背亲弃妻，则牛氏性格决不如此；令本牛氏部分盖全出高明之手也，亦谓然乎？知文驾返沪述京社情形，蒙沪社同人见奖，弥觉惭愧。编现代戏为六四年当前之急。昆曲若不能表现现代事，则走入死胡同一条，而以曲高和寡自我安慰，诚无谓也。沪社拟编演一独幕现代剧，此意极

---

① 编注：原文为□□，今据文意改为景深。

是。京社决意效法，现已选得两剧本：一，《悔不该》〔即（两块八）〕，用北昆本；二，《岗旗》，拟就话剧改编，另写曲词，正在着手。此事固有意义而困难甚多，足下必了了也。三月一日曾举行同期，春节联欢，又彩串《思凡》（韦梅）、《狗洞》（陈祖东）二折，到八十余人亦颇热闹。又唱毛主席词二首：《如梦令》《卜算子》。苏附呈《卜算子》谱两份乞正。宝驯初学制谱而词腔久亡，亦大胆尝试也。匆上，即候

教安

弟
平伯顿首[①]
三、十二

（三）

景深吾兄：

　　久疏笺候，时以为念。数日将交新春，惟起居康愉，潭第安吉为颂。自曲社停后，笛师李金寿先生仍在京未归，因之亦稍唱曲，曲友亦有来者。近复购一录音机，录了一些新谱又旧

---

① 信中有"编现代戏为六四年当前之急"语，此信当写于该年。另可知"曲社"在1964年初还有活动。

曲若《游园》送客，故此曲与尚未甚阑珊，敝寓均好，弟仍不免碌碌如恒，差堪告慰耳。日前陆汝明携来陆兼之先生手书，嘱内子为绘扇面（即弟前者为他所书者），其意极盛。惟内子绘事本来不工又阁置多年，实不能应命，非常抱歉。以未知陆先生住址，于晤时希为致歉感之忱。又昨得扬州郁念纯君来书。详述扬地昆曲界情况，并惠兄前者游扬时在其寓唱曲时小影一页。神态生动，仿佛晤对为欣。郁属写小词。已写就寄去矣。

匆布，即候

春厘

弟
平顿首
一，三十一，旧正月十一日①

（四）

景深吾兄：

多年未通音问，时有秋水伊人之想，昨奉朵云，藉悉起居

---

① 按信中所书公历、农历日对照《二百年历表简编》（南京紫金山天文台历算组编），此信等写于1966年，该年二月四日（农历正月十五日）是"立春"日，信中故有"数日将交新春"语。

康胜。沪昆曲社复兴,无任快慰。弟自七五年秋患血栓,右侧偏中、卧疾四战,稍好迄未痊愈,勉可作字,心手每不相应,行步摇晃,时虞蹉跌,甚少出户。此间旧友曲兴颇佳,时有小叙,或即在敝寓,惟有一二青年稍能吹笛。鼓版小锣均乏人,不能做同期:苏沪水调家乡,情况自当较胜。承为题书,奖勉有加,感感,又何敢比曲园公耶。匆覆,即颂

大安

弟　俞平伯上
一九七九·五·廿九

傅鉴老师、伯炎先生,晤时乞代候。

致叶圣陶[①]

〔一月十日〕

平伯兄尊鉴：

赐复午前到，敬诵。承告兄嫂亦小有欠安，顷已见愈，为慰。腊八兄寿辰，畏寒不能趋祝，于此笔端申意。

代拟"阅世掞华"四字，极好。有求必应，每应必好，兄之谓矣。惜弟之字必写不好，写来必有负此四字，亦无可奈何。

论唱曲，兄谦为瞎说，弟虽门外，以为极精。韩华卿，弟前所不知；老俞老生似曾于童年听过其清唱或客串。至于振飞，则以购买其唱片而好之，以为唱曲如是，乃有滋味。其先则在用直见过沈月泉之教唱带演。用直人习曲者颇众，而只有

---

① 选自《暮年上娱》叶圣陶、俞平伯著，花山文艺出版社，2002年版。

王福民之正旦为有成。幼年时知苏州唱曲爷们颇有成功者,亦曾看过串演,惜至今举不出其姓名矣。瞿安先生之唱亦曾听过,觉得不甚美听。兄既谦为瞎说,弟则实是瞎说。以瞎说唱曲消寒,未尝非佳趣也。请暂止于此,敬叩
颐安

弟圣陶 上 一月十日下午

〔七月十六日〕

圣陶兄赐鉴:

奉十三日手教,极欣且念,天热体慵,决非所谓老热,以保音为上,至嘱。

元善足生日不详知,亦无碍,不必特意打听。所谓小品是一汉碑旧拓,其后有霜根丈昔为先君题跋,可志先世之谊,于今年致送,固不拘何月也。

其芳尚想工作二十年,远志不遂可伤,更为党惜此人才,诗若平淡而意殊悲,或辞不逮耳。

曲社之事颇丛杂,恢复亦有未妥处,如夸诩八年成绩即其一也(弟谓有成绩,而非无缺点)。六四年奉令停办最是及时,于运动中未受冲击良为侥幸,弟仍一度在中山堂"陪斗"

尚社委诸君固皆晏然也。于今旧事重提,近于蛇足,窃不免有惩羹吹齑之惧。复函简单,只以病辞,未提及此。函送元兄处乞转,未知已察入否?近闻将联名上书市委,弟不参与。吾辈耄矣,不妨听中青年好事者为之。以观河眼,作观场人,岂不大佳。草草布臆不尽,即叩

崇安

弟平　顿首　七月十六日

〔一月十日〕

圣兄赐鉴:

得七日夕手示。承悉近患感冒见愈,为慰并念。惟希珍重早日康复。寓中自一月亦常多病。弟先患头晕(轻微),又患咳嗽。弟妇感冒三日。顷各已见愈矣,尽可释念。《纳书楹谱》美备正确,承前启后,(事实上,现在通行的各种曲谱皆由此出。)为唱曲谱曲者所必需。而其唱法仍须由工师(即所谓"拍先")口耳相传,如俞粟庐之于韩华卿是也。(详见吴瞿安师所作俞传,见《粟庐曲谱》第二册之末。)据说韩得叶堂唱法真传。弟前拟作词上片末句原作"叶韩家法快流传"。以句不甚好,又非注不明,改去。唱曲总不外乎咬字做腔,

关键在于运气。气从丹田出，吐音唇齿间，即所谓口法，亦叫"喷口"。一气转折，绵绵不绝，亦仿佛一种"气功"，此又是弟之戏言也。自明以来，古今唱法亦非无变化。即以俞氏父子言，振飞唱法亦较粟庐花梢，宜其有两谱也。

以上只是瞎说。为美术出版社题词，想四个字比较容易，偶从"三十年"连想得四字，未知可否？即写于纸尾，仍乞酌定，匆复候

颐安

弟平伯　一月十日

阅世捃华。

〔三月十八日〕

圣兄赐鉴：

十日手教敬诵。近得俞振飞书，嘱为新编曲谱作序，弟稍稍料到，今果然来了。虽力不胜题，而情不能却，只得勉为之。兹将文稿附呈乞正（**阅后仍希掷还**）。此谱盖经改编，去吹腔而增添零支昆曲，其前言亦有改进。匆叩

颐安

弟平　顿首　三月十八日

〔三月廿一日〕

圣兄赐鉴：

呈稿既荷细读，又迅速见复，劳神思，费目力，不胜歉感，惶悚难名。已逐条细检，其句逗符号差别不多，大半原来相同，弟点得潦草（句号为作一"。"），余下遵改，今呈写本中红笔标记是也。却颇有可商谈者，如下：（一）去点号，不分节，兄意极是，弟有同感，于自留本用之。付印本拟不动，分为二节，上明、下清至近代，取其通行易晓。谱是横排，文用简体，亦相应也，甚至有本不应用"、"号，如两字相连处亦用之者。例如"声辞""曲白"，若中无逗点恐人连读。（二）释"水磨"不够明白，诚然。但讲起来很噜苏，弟亦想不好，如"细工"二字，妥否？（三）"曲白要解"非原篇名。原两篇名字略同，弟合而言之，似杜撰也。（四）"西式"意谓用1、2、3，又横行。其出于东洋，弟未想到，今改"通行"。（五）结尾用问号颇怪，出于弟之妄念。兄言合于一般的用法，极是。所谓"采葑采菲，无以下体，君取节焉可也"，此处乃加强不能自信之意，非通常收梢话头，亦谓可乎？

附呈改本，与前稿不同者有二：（一）删去俗套泛语形容，如"宛转缠绵"八字，（二）删去后面"且前代遗音"以下三行。此节意似重要，其所以删去，有二原由。保存昆曲，在此不宜多谈。上言明，下言清，夹在中间文义不贯，气亦不顺。希鉴定，纸尽不具，即叩
颐安

　　　　　　　　弟平　顿首　三月廿一日

答潘书，一语破的，有同感，且佩。附书

〔三月廿二日〕

圣兄赐鉴：

近日讨论文辞句逗，颇似曩昔谈《兰陵王》而路线相反，斯良可念，亦可乐也。前书（想先到）仓卒，虽写三纸，未尽所怀。今举琐事三者，以代片刻之话。（一）水磨工之形容，原作"细腻熨贴"，弟妇将末二字改为"光润"。弟后来又将"细"改"滑"，见改稿，未知兄意如何。"滑"似非美称，然美恶不嫌同辞。《琵琶行》云"间关莺语花底滑"，此字究竟好否？又形容声音，删去陈言，独用吴诗，是一躲懒之法，亦可乎？然二句言柔中有刚，圆里有方，于姿媚中

见遒劲,至为得神。以乐简要,不能详也。(二)文意重在粟庐,却不便喧宾夺主。引吴师一言论定,是又一偷工减料之法。弟未识荆州,只听过百代唱片,对于老辈,亦不敢妄论也。(三)最可笑者,为了不喜简体而修改文字。如原作"八秩高龄,怡神宫徵",今改"怡情音律",惧"徵"之作"征";"零支十余"(此振飞来书所云,甚确),改为"若干",惧"余"之作"馀"也。颇近纰缪,惟兄哂正。仍匆匆,即颂

颐安

弟平　上　三月廿二日

序文结语:

"仆少悦里讴,长惭识曲。"(以上不动,原"吴"改"里"。)原稿"葑菲之歌,滥竽无名,知音君子,或有取欤?"拟改"承命作序,谊不可辞,葑菲之采,或有取欤"。

仍希批转

弟平

　　前作姿态不佳,点句亦谬,改从平正,兄谓然否?

〔三月廿八日〕

圣陶兄赐鉴：

昨荷宠临，面告水磨工夫之实况，使文章较充实，言之有物，信为大力支援，无任铭感。文字脱稿，恐须迟至下月，以又发见其他问题。又排字繁简，关系全谱曲文，拟托友询之。如用横式谱、简体字，恐曲友不悦，而弟大为吹嘘或未惬舆情也。作茅公挽联，兄说"七言"，弟昨晚果然想了七个字，颇空泛，聊以塞责，另纸抄呈。其实七言分量亦重。记得昔年张香涛挽我曾祖一联，亦是七字句。书写颇不易。如较小（比呈样稍大）弟可以写。如正式挽联，则缺乏工具，腕力又弱，须另请人为之。只要粗大可观便好，可不计工拙。又有一说，如不当场悬挂，印在纪念专刊上，则大小尽可不计。署名事与此相关。如是大挽联，由兄先列名，许弟附骥为幸。将来开追悼会，弟处总会有通知的。如是小挽联，只有十四字，宜兄单列名，二人连署未免可笑。晨起瞎写。即颂
颐安

　　　　　　弟平　顿首　三，廿八

昨日归去不觉劳否？文稿缓日另寄。

信收到，如谓可用，请来电话，可省复书。

〔三月卅一日〕

圣陶兄赐鉴：

勤靡余劳在陶集自祭文中，弟误忆乃点金成铁，愧矣。承提命极感。兹改写仍奉上。注云礼记中亦有相似者，则人同此心殆不虚。前稿仍附奉，真可谓"再三渎"矣。但改动颇多，拟分五节，仅备参考指正，他日当另奉缮本也。清工戏工，南词北曲，昆腔磨调，必须提到，否则读者不了，文仅六百言而颇费工夫。用何字体已函询，一时尚难交稿。拟联空泛自不合用，其歉。未知如何应付之，深以为念。匆上，即候
颐安

      弟平　启　三月卅一日

条对凡新改处皆用红笔标记，余当另复。

（一）大部分照改，北曲用一凡。"因缘"不限文字，弟亦曾想到，因循未改，今已照增，感谢。

（二）清工、戏工是今日行话。

（三）明初荆、刘、拜、杀为"四大传奇"，加《琵琶记》故云"各大"，详述文字太长。

（四）速迩、迟迩似皆可。

（五）"文字因缘"增为"文字乐律因缘"。

（六）末段弟意"若其"以下至"哉"，作一句读。以文法言"斯"字当另起，以文气言，一口气读下且遥承"父作子述"云云，所以为"胜业""珍闻"也。若用尊断句法（稍短）未宜用"也哉"，今句已长，拟不增字。岂其然乎？

拉杂不恭，恕之恕之。

弟平　顿首

〔四月五日〕

圣陶兄赐鉴：

昨寄稿凌乱故敝，极其不恭，却易看出改动处，阅后希即弃之，当另缮呈。第二段中"而加二变"句不明，拟改为"而仍用一凡"，如何？"仍"表示虽是昆腔犹有北曲遗声。此文屡承提命，看得至细，写得极详，不啻"把着手教"。盖六十年来所未有，诚为晚年之乐。既深佩悦，渎神费力弥感不安。今幸脱稿，已由湜华转致。原可自写，以谱是横行右行，序则直排左行，而书是西式，翻阅不便。若只一页，如兄之题辞制版固无妨也。用何字体尚待商量，总不致化"僕"为"仆"耳。

挽茅公四绝敬诵。尘迹不堪殚述，以"赋别"摘要诚为警策，章法亦善。所述申江往事，弟初不知。用挽联亦决不能说出。前拟七言，被《朔方》杂志人取去，即署弟名，虽不拟写送，如见报刊亦可致悼念兼表敬意。兄当谓可。

中华书局亦送纸索书，拟得一诗："创建欣当鼎革初，年华瞬届七旬余，新知旧学商量遍，更启琅嬛万卷书。"希哂正。

乍浦许白凤，与振甫、元兄相熟，近与弟通书寄诗。许刻一章，尚未寄到。观拓片，刻得甚精，而词句云云弟不敢当，无处用之，奈何。（附章拓片以为如何？）若此者尊处想必甚多。殆只可保存耳。匆书，即叩

颐安

弟平　顿首　四月五日

〔四月六日〕

圣陶兄尊鉴：

前书想达，附许刻章拓文请暂留，迟日拟奉元兄。四日批转得诵。"各大传奇"去"大"，"海内外人士"改"寰区"，均遵嘱。银球往复，时近两旬，虽一字、一撇、一圈之微，俱不放过，可谓认真矣。今幸而脱稿，虽非无缝天衣，亦近水磨工夫，公之赐也，兄之力也。同在耄年得之，尤甚珍

重。文字得失，会以寸心；安得逢人而语。始知所谓"不把金针渡与人"者（见元遗山诗）非不肯，乃实不能为耳。稿拟迟日以大字缮呈备览正。春气渐和，良会在迩，花前觅醉，堪续前游，元兄想必欣然命驾也。相晤非遥，伫候电音，不一。敬叩

颐安

弟平　顿首　四月六日

〔六月九日〕

圣兄左右：

烟台佳游不及一旬而颇动怀念，遂以风景片涂写小诗，得尘文几。小文前日另邮，计达典签。似美风流和尚，论旨微偏，故以短句救之。二公行径迥别而皆畸人，年代差相及，无缘瞻对，为可惜耳。《呻吟》编就，五言十八，词一，凡十九首，短文二篇。即斯为止，不拟更续，所谓"不娱人，不悦己，鸡肋鸡肋"者是也。苏州演昆戏十天，三十余出。此间曲社张允和、周铨庵及二女俞欣均往观。闻浙江新编《杨贵妃》不佳（略见邓书），创新非易。黄裳来信赞美《鲛绡记·写状》，此剧弟不知，盖净丑戏也。又《题曲》，旦角独坐灯右观书，场面亦甚特别，独脚戏沉闷，不知如何搬演。文词音律

俱佳，弟凤喜之，惜无缘观场。闻来宾有千三百人之多，想轰动吴闻矣。

云乡书言有得款，小园修复可期。其不能如旧是当然的，亦不足计。看来要修正房中路。这一条线原有两块扁额。门道有李鸿章书九字，此件墨迹尚存，未见来商洽勾摹。（**李款有碍可节去，九字够长了。**）大厅"乐知堂"为彭公手书，已佚，不知其如何处理。弟却颇有一妄想，姑妄言，万勿介意，不如治一新匾，敬叩求椽笔（相当大字即可放大）为弟书之，可在敝庐同留纪念。亦有意乎？

敬颂

暑安，不具

弟平　六月九日

〔十月卅日〕

圣兄：

日前叨惠，谈叙极欢。增补四文已寄出。《振飞曲谱》巨册，所印拙序，讹脱妄改，负我等之细校矣。如翻看即知。幸嘱颖南将弟手写本复印，迟日当奉赠一份。附诗一、颖南来书一纸，又弟谈潘说一纸，均不须寄还。原画潘藏，自遵其说为是，弟不拟再提，姑与兄言之耳。

弟平伯　上

潘公之说与拙说相反，录如下：

一、雪蝶是曼殊之别署，非有女友名曰雪蝶。

二、画是怀念的写照，非以赠"雪蝶"者。所怪之人为静子——即雪蝶影射静子，画中人是静子的形象。

三、不提本事诗，调筝人。

四、画非赠人，乃以自娱，<u>故留在曼殊手中</u>（此句他未说，乃我引申以证明之）遂得留传。

五、用上列说法符合当时的情况，定此画为真。按此说亦多空想，不牵涉其他，比较简明。但画是写生，确有这么一个日本女子。既非雪蝶（他是曼殊），那么是谁。说是静子，不知然否，亦其缺点也。

平记　十月三十日

〔十一月五日〕

圣兄赐鉴：

俚句得赏音，至欣。上半题中应有之义。末联酒边情味，后又想"边"改"怀"，作"酒怀妍"，如何，望一推敲。

以"边妍"二字叠韵。

录音哑劣（曲友均未闻之），不敢自闷,"请您赏下耳音来"（此京韵大鼓照例的开场白）。更荷转录，尤为荣幸。《咏花》工谱可备参考。其件暂留尊处，勿忙掷还。星洲潘藏画既真，写明雪蝶，其人不谬，若是否调筝人或曰静子，均可袪疑，再钻牛角尖诚无谓也。"曲谱"序文，以周藏写本为正，其他则听之，亦不拟函知振飞。据周铨庵说，《絮阁》中且少曲文一句，工谱纤屑更不可深究，弟亦自悔其属草之率尔也。昨由湜华送呈复制本，想已邀察。从周于上月廿九日返沪，有信来，兹将原书附寄一览。他谈许家屯、柳林分工事很明白，自当给二位写信。但他意似想请兄具函而他附署，见原信，以旁线划出。尊名当在前原不成问题。不知可否与陈直接商量办法。弟意兄前者已函董昌达君，回书恳切，则苏州地方当局或已在商讨中，不妨稍候观其如何裁决，董或尚有续报也。弟既无成见，拆楼事不甚乐观，只心铭勿谈耳。

天气不甚冷，敝寓尚无暖气，室温十九度。俞成将偕其友飞昆明，半月可归。寓中托熟人料理，于弟之生活无大影响也。匆书二纸，敬颂
颐安

弟平　顿首　十一月五日

〔十一月八日〕

圣陶兄赐鉴：

奉手书二纸，极慰。吴下修园本非亟亟，宜与地方当局谈商，待至水到渠成。鄙见与尊意正相合。

《振飞曲谱》序复制本"四十四折"，当从原谱本作"四十折"。第二"四"字衍。以当时本说四十四，其后减为四十也。

潘藏曼殊画，顷得香港何竹孙信云将重裱加色，弟告以重装好，加色不可。原作淡雅，加工将成俗艳。亦与颖南言之。书云"潘藏品人画皆真，若其人非名雪蝶，安得以此画赠之"，未及其他，并告以兄意亦同。

推敲之字，兄谓"边"字佳，至确。直觉"边"硬而"怀"较软。也说不出什么道理来。初稿曾作"酒中"，已三改矣。今用二稿"酒边"，《论语》所谓"再斯可矣"。前半铺叙亦是实话，非泛言也，殆不须引以为愧尔。

近书中常说到庄生蝴蝶，写此信尚有余纸，想起义山《锦瑟》，悼亡之意甚明，何以纷纷笺注？漫呈小诗博笑，尚未录稿也。

老僧久与空山习，

小驻空闺更惘然。

何事儒生笺《锦瑟》，

分明蝶梦与啼鹃。

    大女出游，有时独居此屋，戏书一绝。以思路枯窘，已做不出诗来，却忽然冒出两句来，如斯便是一例。昨想了前两句，今天家中无人，写信时得后两句，凑起来恰好。有似泉源待涸，偶尔冒泡。若谓文章天成则过矣。亦只可向兄言之耳。小儿得读五言赠句，顷来书言"六十多年交谊，现在已没旁人"，言虽质陋，就我身来说，亦系实况。

    韦奈渥承教诲，不胜心感。（前赐奈书得读）他年不负提命之雅，即伊之深幸。近青年缺乏真信心，是一大问题。书不尽言，即叩

颐安

                弟平　顿首　十一月八日，立冬

着甚来由笺锦瑟，分明梦蝶对啼鹃。

〔七月廿四日〕

圣陶兄尊鉴：

　　昨奉廿一日手教，感、慰、歉仄。感，友情；慰，书长；歉，为费尊目、心力也。久不上书却又不可，无以遣尊前寂寞何。拟与兄约，不论时间，得三书复一，可乎？或代以电话亦妙。余详另二纸，肃叩

颐安，潭吉，不具

　　　　　　　　　　弟平　顿首　七月廿四日

阅读《我与四川》偶记

　　八十三页"乌尤土名乌牛……乌尤何义迄今尚未之知。"按牛字向无异读，于来京后学昆曲。启蒙为《密誓》，嘉兴老师读"牛女"之牛为"由"音，后查曲韵果然。盖宋代中州有此音读。改乌牛为乌尤，虽易其字而音不变。盖同音假借，非另有典，而牛尤音同，于此见之，山谷不作解释，亦宜。

　　其二，前谈元善兄命书，兄或不之信，弟亦颇疑其何以能验。命书云有此一关，其能过否即不谈，意甚含蓄。今竟安度，将享百龄，窃疑其必有阴功，却不便问，问他也决不肯说。近忽于大著第九十七页见之，其词曰："元善兄勤劳不

辞，事事务责实效，有墨家之风。"

文账务实，活人何啻千万，岂非阴功。阴功者，人己皆不知之谓。若自己夸口，还算阴德么！（见《儿女英雄传》）兹舍天道，只言人事，人事既明，则天不远矣。其得幸免者正缘廉洁清贫，若发了横财，则"人头"必借。"墨家之风"，一语点睛，且解答弟经岁之疑问，良不胜其感佩之情。"未之思也夫，何远之有"，斯言谅矣。

平　七，二三

〔十一月十日〕

圣陶兄左右：

前奉手教，得悉近况，字大易辨，正不必求工整。弟眼疾渐愈，本轻微，希释念。尊寓曲集两度，其盛况可想，惜兄只闻笛音，助听器本不易辨别人的口音声气。弟耽之数十年，一断于六六年，后又小续，招待旅美之项馨吾、张充和；再经八二年，即杳然绝响矣。近于《思凡·下山》小有所见，亦惮于写出。窃为归心佛法，以"空""净"二门为较简易，然亦未有津梁也。观旧藏日本写经，文字缜密，附奉二纸，备察。匆叩

颐安

弟平　拜　十一月十日

圣陶吾兄惠鉴：

　　三复尊示，深得论文之乐，谨简略奉答，未知有当否？词谱自是吟诵之律，而歌唱之律寓焉，盖即从歌唱转化者也。吾国诗歌之传统为四五七言，由古诗而律诗，词曲并以长短句（齐言较少）拗句与之交错，遂呈繁复之观。词中亦分两部分：其一拗句多，可称专门的词；其一拗句少或竟无之，可称类诗的词。后者普及，影响亦大，而多讨论者却是前一种。

　　中国五七言的传统是坚强的，却受胡乐东来之影响而变，亦有语言的关系，有一点强迫的意味，中唐人还想用五七言诗作为乐章来对付一气，后来实在不成了，乃依"声曲折"写之，史称温飞卿"能逐弦吹之声"是也。北宋柳永扩为慢词，其流益大。

　　当词调未亡时原无所谓词谱，音律即其谱也，句逗依之。乐音之高下抑扬则以字音平仄协之而已。若析及四声（将仄声又加分析，主要的为分去、上）远从吟诵而来，当亦参考到歌唱；以词可歌，同时亦可诵也。周美成是个主要的人，即使不说从他开始。昔人评清真"创调之才多，创意之才少"，而清真之功正在创调方面。方扬陈和词亦步亦趋。来书云"隐晦不通",诚然。却可看作清真体的四声谱,为治调律者的一种参考。

自是美成的特殊造诣,有如老杜之"晚节渐于诗律细",其情况有点像六朝人之谈"声病",若"前有浮声,后须切响"等等,却亦为后人钻入牛角尖者作俑,本是从吟哦中发展而来的,却认为应音律上之需要,便是一种误会,把这问题搞得复杂了。

宋词实际上只是平仄调而非四声调。近人杨荫浏研究白石自度曲的旁谱有此结论,大致是对的。又如来书提到的满江红,兄云此调宜用入声韵脚是也,以入可作平,故可改为平韵。清真此调结句"无心扑",白石云,心字不协,融入去声方协,遂作平韵满江红。其上段末句曰,"闻佩环",佩字去声,合矣。其下片结句却云"簾影间",影字非上声乎?白石在此处不过用了一个仄声字而已,固未尝分别上去也。专家之理论每与实际有距离,若斯之类是也。

原很简单,平仄调是音歌的需要,四声调乃吟诵的加工。但清真与南宋诸家分析四声时,词之音律尚在,其中当然有一种关联,二者遂相纠缠而引起后人之误会,纵非走入歧途,亦已是窄径。文士慕古好奇,耻为平人而原自附于专家,亦往往有之。来书云:"用拗句之处,吟诵之往往有挺拔、崛强、幽峭之感。"弟於四声调亦有此感，认为并非全无好处，却只可供极少数人无益之娱耳，今日若要作词，能平仄不差，押韵可听，使沁园春不失之为沁园春，水调歌头不失之为水调歌头，也就可以了。书中"竟作自由诗"之说，窃有同感。云郑数闻评，所得只在吟诵之际，未必真懂得词之音律，弟完全同意。词之音律久已亡佚，后人何从而知之耶！

后起之曲进了一步，南曲中之昆腔磨调更比北曲进一步。昆曲中之佳谱方始与四声相合（入声在北曲分叶三声，在南曲同平声，实只三声耳）。其制谱之法又是原则性与灵活性相结合的，在中国乐府的发展史上，实为空前未有者。——或者由于我爱好昆曲乎？一笑。

此外诸端，书不能详，承惠约长谈，洵上娱也，至盼其实现。弟近日上午到所，下午总是闲的，依兄方便，何日均可，盼续示知。

上次信中说到拟临稧帖，忘记覆了。 兄写此帖必有本人笔法，诚盼得一观，更盼将来见惠片楮。我想近日兄必较忙，恐无暇临帖耳。拉杂奉覆，书不尽言，即候
近安

弟平顿首
十一月十一日下午

近得一石，晋天福五年之大悲真言幢拓本，书法有欧阳风味而较灵动，他日将奉呈一观。

又及

圣陶我兄赐鉴：

覆示欣诵，计六天过后或稍闲矣。陈从周闻有自绘朱色梅花寄呈，谅必收到。渠得（近来信）兄手迹，甚欣感。尊临兰亭当多机茂之意，定武本似较神龙更为接近。南朝碑碣不多，其笔法固异于兰亭，却亦有相合者。弟知见殊陋，近偶见"萧憺碑额"，文曰："梁故侍中司徒骠骑将军始兴忠武王之碑"，其"将""兴""之"并同禊帖，则近人之说亦未为全面。草写纸画，即候

起居

弟平
十一月十六日

关于北京昆曲研习社的材料[①]

（一）成立的经过。北京昆曲研习社（下简称曲社、京社）并非突然地办起来的，其前身为北京基督教青年会内所附设的'昆曲会'，在解放后不久就有了。其主持人为伊克贤（已故）、叶仰曦等（叶后在北方昆曲剧院工作）。教师徐惠如（已故）。该会的活动除清唱以外，又有彩排串戏，如曾演前半本的《长生殿》。到56年夏，徐惠如另有他就，北京市文化局给他乾薪养老，同时青年会也不肯再借给地方，曲会不能维持下去。我那时是一个普通社员，没有职务。就有些人要我来主持、重办，因我于抗战前曾在清华大学办过'谷言曲社'，有些经验。我当时很不愿意干他们再三恳劝，也就答应了。以项衡方（字远村，时在轻工业部工作，后退休病故）年

[①] 本文据华夏天禧（墨笺楼）线上专场拍卖第一百六十五期《俞平伯1968年文革交待手稿一份十三页》整理。

纪最高，推他领衔，共三十五人为发起人。1956年八九月间，因呈文化部请求立案。信上所说，为学习传统的戏曲艺术响应百花齐放的号召，与后来社章所载大略相同。后由文化部批转北京市人委会，得准于注册，领有证件（原件于解散时已上缴），由北京市文化局领导，发给补助费，每月二百五十元，年终报账，并提出来年度的预算。其后（年分不记得）改由北京市文联及文化局双重领导，领款报账等仍归文化局。这情况一直到1964年十月。

1956年秋冬间，文化部的丁西林约我及少数社员在北海公园茶座谈话，后又聚餐。同会的有北京市副市长王昆仑，文化局副局长杨毓珉，社员有张允和（张和丁西林本来认识的），袁敏宣，周铨庵，许宝驯。大家认为懂昆曲的人现在很少，如要扩大其影响并推陈出新，必须注重演出。首长们并指出发给补助费是暂时办法，将来演出如有成绩，可以自给自足。后来因爱看昆戏的人也少，曲社只是对内彩排，未敢公演，迄未能办到。

（二）组织情况。过去一直有所谓'曲社''曲会'的组织，一般都是剥削阶级知识分子爱好昆曲者业余的集合，消遣的所在，以清唱为主。京社的成员仍为资产阶级分子，其办法虽稍有不同，而基本情况还是相同的。本是一个业余组织，社员来自各个岗位，个别家庭，十分的散漫。除曲社有活动见面以外，他们做些什么，我亦不能顾问。这里谈社务委员会。

曲社为集体领导制，由社务委员会负责领导，每二年在社员全体会上，以无记名投票的方式（不提候选人）选出社务委员组织之。主任委员，由社委中互推之。我一直被推举为主任委员。后来添设副主任委员，许时珍担任。社委会每月开会一次，地点大约在我家。今录各社委的名单及其简况如下：

1. 许时珍，北宇路退休工程师，现年八十余，任副主任委员，兼研究组组长。住北京景山东前街二号旁门（旧地名下同）。

2. 伊克贤，家庭妇女，66年身故，前住西单路车胡同14号。曾任传习组组长。

3. 袁敏宣，家庭妇女，任演出组组长，住地池子二十三号。

4. 陆剑霞，家庭妇女，66年身故，住西单壁街19号。曾任演出组副组长。

5. 苏锡龄，家庭妇女，66年身故，住址与伊克贤同。曾任音乐组组长。

6. 周铨庵，家庭妇女，任传习组副组长，又一度任总务组组长。住张自忠路21号。

7. 许宝驯，我的爱人，住北竹竿胡同38号，任同期组组长。

8. 许宝騄，宝驯之妹，住什方院（*后改盛芳胡同*）16号，任总务组组长。

9. 张允和，家庭妇女，住景山东街45号，文改会宿舍内，任联络组组长，后又兼任社讯编务。

10. 王剑戾，前在中华书局，解放后到北京，在一专制图版的机关工作，这名字我写不出来。任曲社会计。住南小街南头路东，门牌记不真。

11. 吴南青，吴梅之子，前在北昆剧院工作，后调至保定戏校，现在情况不明。曾任音乐组组长。

12. 傅润森，前在一卫生机构工作，地点在中山公园。现情况不明。在社委会中未兼任何职。

——以上均为社委。又如曾任社委者为项远村，身故多年，这里不说了。社委会及各组的工作为纯粹义务性质。

13. 陈颖，她亦是社员，以担任税务的往常工作较多，生活又困难，由社略致津贴，每月约二十元。曲社散后，她和谢兴尧结婚，住施家胡同在前门外，门牌不详。

社委会成员的情况大概如此。我自己不兼任各工作组职务，名说什么都管，实际上管得很少。如主要的演戏，我就不会也不大懂，都由演出，传习组主持之。我在业余时间也做了一点研究工作，见下。

社委会下共分为七个工作组：1. 研究，2. 音乐，3. 同期（同期即是清唱的曲会），4. 演出，5. 传习，6. 联络，7. 总务。社员并不分配在各组。各组有副组长少数组员，其人数不全。

（三）活动情况。先设办曲社的宗旨，见于社章第一条，原文不记得了，大意是集合爱好昆曲、昆戏的同志，研究学习传统的艺术，并推陈出新地以改革昆剧。名曰两条腿走路，事实上只是保存旧的，不能创造新的——很少，又成绩不好。名曰唱演并重，实际上偏重演出。今分为六项叙述之。

1. 研究——研究组组长前为项远村，后为许时珍，他们都已年老，工作做得很少。许时珍偕张允和改编过《浣沙记》，曾油印出来，也不能上演。天津南开大学的华粹深，他是我的学生，为曲社的联合社员，于1958年曾将《牡丹亭》全部缩编。把在津油印的稿本寄给我，由我修订之，重印后付曲社排演之。《牡丹亭》有数十折之多，要压缩为一场戏是不很容易的。后来经过多次的排练，于五九年公演，见下。此外还有许宝驹，他也是联合社员，他有新传奇《文成公主》（个人搞的，并非社内搞的）凡七折。其第一折《远行》，后由许宝驯制谱，借文联彩排过一次。

创新方面，约在58年大跃进时期，张允和编过一个现代话权剧《人民公社好》，吴南青制谱，曾借文联彩排。到63、64年间，又集体地将一话剧《岗旗》移植为昆剧，用正式的昆腔曲牌，我也费了一些心力，许宝驯制谱。于64年秋彩排，这是曲社最后的一次。

又谱了毛主席的词：如浪淘沙（北戴河），吴南青曲。沁园春（长沙雪）蝶恋花（答李淑一），如梦令（元旦）卜算子（咏梅）均许宝驯曲。'卜算子'曾在电视台，由袁敏宣唱过。

2. 音乐——没有什么成绩。主要的是办社之初，曾从上海聘来一位老艺人（笛师）李金寿，专任教曲吹笛。李年七十余，社散没尚在北京，于66年回南。社员也有学习乐器的，帮助演奏。又上述制谱事，亦可说与音乐有关。

3. 同期——即清唱的曲会，每月一次，地点大都在南河沿政协文化俱乐部，全体社员参加。唱整句，亦唱零支。旧的曲子为多。新谱的词曲亦都在同期中歌唱。

4. 演出——主要的教师是沈盘生，他是昆戏界的老辈，在北昆剧院工作，也来曲社教戏。此外，曲社承青年会曲会，本有好几个社员会演戏的，如伊苏陆、袁周等人。因此曲社班很少公演，却也许多次的彩排。（但像我及我爱人许宝驯就不会演戏，也从未登过台。许宝騄也不太会演，曾上台串过配角。）串戏有三种：响排，有锣鼓；彩排，穿戏装，不售票；公演。

彩排不定期，约本年一次，地点每借用中国文联礼堂。如团体的约演，地点不一定。所演的大都是些传统戏，如琵琶荆钗幽闺、白兔牡丹亭、长生殿等等。就其内容看，都是封建时代的文艺，不外帝王将相，才子佳人的故事，或状恋爱，或宣扬封建礼教，亦或有庸俗的。但黄色的，恐怖的，反动显明的却不曾上演。新编的戏，两种上文已说过了，不再重复。

1959年庆祝建国十周年，在西单长安戏院演出缩编全本《牡丹亭》，凡雨晚场，售票情形还好，没有赔。第二晚场，有陈叔通先生，康生、欧阳予倩两同志均来观，会后并摄影。其主要演员为袁敏宣（饰生）、周铨庵（饰旦）。

历次彩排到场来观的，我无从知道其详。就主要的，记得的来说。康生同志是常来的，有时一人来，有时偕他爱人曹同志来，有一次偕胡乔木来。周总理亦来观一次，年月不记得，地点在文联，只记得那晚的戏目：金不换《守岁》。王剑庨饰，白兔记《出猎》胡保棣（袁敏宣之女）饰。剧终后曾摄影，亦有康生同志。其他来过的人，如上述的陈叔通、欧阳予倩、茅盾、胡金之、叶圣陶、王伯祥、钱昌照、许广平等等。我不能都见面招呼，亦不能悉记。（我所的何其芳亦曾来过。）

5. 传习——传习之一，由沈盘生教戏，教程由传习组安排。其二，社员中本会演的，亦担任助教，所教为社员及学员。学员并非成员，是青年学生以课余时间来社学习，不收学费，来去可比较自由，保流动性质。如上说的胡保棣，她后来入上海戏校，专攻昆剧。亦有些学员转入北昆或到南京戏校的。因曲社条件所限，不能培养专业人才。社委会当时为应上演配搭之需，故有学员之设。其实通过旧戏剧，将封建的意识形态传给青年，流毒匪浅，这是必须认识的。最初办社未有学员，后来方才有的，时间不长，人数亦很少，约六、七人，少至三四人。一般是配搭，其中亦有能作主角的。教戏的所在为传习组，在西半壁街19号。

6. 联络——联络组工作，包括对社内及社外，大都做一些临时性的工作。如徽剧团来京，同他们联演《白兔记》，他们唱青阳腔，我们唱昆腔。

曲社有联合社员，即名誉社员之意，敬约社会上知名人士和昆曲专家任之。以名册不存，就记忆写出如下：天津有华粹深、李鼎芳，均在大学教课，贵阳张宗和，师范学院教师。上海有俞振飞，徐凌云，均昆曲专家，赵景深（见下）。北京人最多有：康生、丁西林、叶圣陶、王伯祥、钱昌照、许宝骙、宝騄、周有光等人。已故者有郑振铎、欧阳予倩、许宝驹。

康生同志是关心曲社的。如演《人民公社好》，有些场子很幼稚可笑，他亦并无贬词。有一次他问我，曲社是否演过《别母》，我答，没有，演的是《见娘》。他表示这就很好。（《别母》即宁武关，在昆戏《铁冠图》内，是一出反动的戏。《见娘》出于《荆钗记》，亦提倡封建道德，但比《别母》要好一些。）又公演全本《牡丹亭》时，他说这剧本压缩太紧了，致后半段过场戏太多，演员不能发挥所长。我记得的有这两条。欧阳也有类似的意见。

（四）怎样解散的。办社的宗旨，在研习传统艺术以外，还要推陈出新，而事实上既不推陈，亦不能出新。这里自有客观上和主观上的原因。我越来越感到，若不能创新，决没有前途。《岗旗》的改编曾费了不少的心力，及至彩排了一看，于劳动人民的形象毫无似处，恐是曲社彩排过的最不行的一出戏了。我认为不能这样再拖延下去，就于六四年秋间，以我个人名义向王昆仑去信，声述上项的困难，请示是否可以停办。信去后未得复。到是年十月中旬得到北京市文化局通知，内言王副市长交下俞平伯的来信云云，该社应准予停办。同月我们即将登记证件及公章缴回，并将市文联及文化局所要听社员全部名单和演出节目清单一并送去。曲社至此结束。余款其中有一部分是社员所交之社费,将六四年度的社费还给各社员。又赠给李金寿(他本是专任的)七百元作为退职金。帐目亦已结清。

  曲社自动地解散了,却已办了八年(1956—64)。现在回顾检查:(1)无批判地继承遗产,宣场封建时代戏曲文艺的毒素,并且影响到青年。(2)在口头及文字上说要推陈出新,事实上既不推陈,也不出新。(3)这样就虚费了国家的财富,人民的血汗。(4)聚集了一些资产阶级的知识分子和妇女,做无聊消遣、享乐的活动。粗粗地检查,就有以上四点很大的错误。这些都是与毛主席的文艺必须为工农兵服务这最重要的指示,背道而驰的。曲社虽是集体领导,而我是应背负其主要责任的人。

1968.9.20 俞平伯

关于上海昆曲研习社及其主持者赵景深[①]

上海昆曲研习社（简称沪社），成立于1956—57年之间，较北京昆曲研习社为晚，名字虽相同都无组织上的亲属，只为兄弟曲社，有一般性的交际往来如互换社讯及新印曲谱剧本之类，互赠照片一次。他们社友来京我见过的只两人：1. 赵景深，2. 徐凌云。其他的成员我本不认识，其来京与否我就不知道了。徐凌云之来是某年应文化部之召，来传习传统昆戏技术的，同来的有俞振飞。徐这个人我虽闻名，却在京初次识面，也曾参加京社的曲会（清唱），后来聘他为联合社员。社员陈祖东曾从他学丑角戏（'奸遁'），且拜他为师（在上海）。

京社社员曾去沪社的，我记得是周铨庵。张允和或者也去过。胡忌也常往来京沪。周铨庵在上海曾参加沪社的曲会。他

---

① 本文据华夏天禧（墨笺楼）线上专场拍卖第一百六十五期《俞平伯1968年文革交待手稿一份十三页》整理。

们之去，是为个人的事，并非京社派往联系的。曲社不但是业余性质，且其成员来自各个方面，只有唱演昆曲一点的联系，他们个人出外活动本不需要向我或社委会报告什么。

社讯之设，沪社先有，我们是学习他们才办的，沪社经费来自私人凑集，约每月有社讯一期。京社不定期，好几个月才有一次。编辑先为胡忌，后为张允和。定稿经由社委会通过，油印。

沪社的社长为赵景深。赵搞中国小说戏剧，亦常有作品发表，我本来知道这个人。早年不曾见过。后来我久住北京，极少往南方去。解放以后，他来开会，当碰见过，印象也不深。其比较相熟，则由在京沪两地各办一曲社。1956后，他来北京和我见面两次。第一次我记得很真，某天晚上我曾在寓所招待过他，陪客有部分社员，如袁张周许（时珍、宝驯）等人。唱了零支的昆曲，皆传统节目。其第二次，他晚饭后来，唱了一些新谱的曲了，如许宝驯所谱毛主席词。

因曲社的关系，我和赵景深通过几次信。讲些什么，已隔了多年，当时亦未留意，不能说得很具体。大约总设办曲社的困难，欲告退而同人不许，因我常想不干，赵对于沪社亦有此意；又谈到必须搞昆戏改革，而改革又有不少困难等等。京社聘赵为联合社员，他住上海四明里，我从未去过。

1968.9.20

俞平伯

第二辑 曲学

《玉簪记》寄弄首曲华字今谱不误说

前十余年《集成曲谱》行世，为通行昆曲工谱中最大之结集，其有益于昆曲之保存甚大，其校正伶工俗谱处亦多精当处，非浅学所敢平议。然亦有今谱本不误，而彼依古谱校正之后而反误者，则千虑之失也。兹举传唱已久之《琴挑》为例。

自余度曲，辄闻人唱《琴挑》，遇有曲集每列此目，戏曰，"无琴不成曲"，大有"家家收拾起，户户不堤防"之概焉。又程艳秋每演昆曲，必贴《琴挑》，而他曲不与焉。其首曲〔南吕〕《懒画眉》，"月明云淡露华浓"句"露华"二字，与第二曲"粉墙花影自重重"句"自重"二字，今通行工谱同用"上工尺上四上尺上四合"，本不误也。露华二字一去声一阳平，自重二字亦为一去声一阳平，字音同，曲调同，其工谱之同是必然也。（凡昆曲中遇字句曲调相同者，其工谱悉同，如《琵琶·南浦·尾犯序》"山遥水远""衾寒枕冷"同为阴阳上上，而二句之腔俨如合掌，人称魏良辅点《琵琶》之板，则古法然欤。）《集成曲谱》振集五，则将此两句谱成两个腔格，"自重"二字加上式，其"露华"二字却作"上六工尺　上尺上四合"，并作眉评曰，"华读花，俗唱工谱以四字作主腔，则成阳平声矣，大谬"，似真当读花音，然余所遇之南北曲家或伶工，从未有如此唱者，犹中华民国之不读为中花民国也。岂传讹既久，不能是正耶？细按之，殆有不然者。

《集成》之根柢当在叶谱，（《纳书楹》续集卷一）然叶谱于此本误，正当从俗变古不可从古以改俗也。古不必尽是，俗不必尽非，一也；古不必尽古，俗不必尽不古，二也。

若谓古无花字，华即花也，此原不成问题，然谓华花为一字之转注可，遽读二字以一音则不可，此犹考老转注，然不能读老为考，亦不能读考为老也，正唯其音变也，故虽原来虽是一义却分为二字，若音义异同，岂不多此一分。"同意相受"，许书之意甚明。今改而论事实。

窃疑华花分读，至少当与花字的历史同其久远，远在何代，待专家论之。宋人已分为二读，此灼然可见者也。兹举二例皆习见者，以成吾说，其一见于宋人词中，其一见于宋人文中。

清真《解语花》"桂华流瓦"，桂华之华与露华之华词例正同，苟得《清真词》此句华字之音读，则《琴挑》华字之腔格不待言矣。我谓清真之读桂华，如今人之读中华。何以知之？

观杨泽民和词"翠檐铜瓦"，方千里和词"凤楼鸳瓦"，翠凤俱去而桂亦去，檐楼俱阳平，则华殆亦属阳平矣。然此证据之解释稍有疑问，在此若有任用阴阳平之可能，则方杨虽以阳平和周，而周之原词或不必是阳平也。自然，这可能很少，盖华字已颇有读为阳平之嫌也。

连上文一看，即为"花市光相射桂华流瓦"，此花及华读为一音乎？两音乎？以常理言之，必曰，两音也，否以何以不写两个华字或者两个花字呢？且两字读一音，不但不合理，于词律亦失。

往下看，《解语》花之次曲为《六么令》，其过片曰"华堂花艳对列"，六字之间华花并见，读为两音乎？一音乎？在此添了一点理由，不止音与义的交涉，并有音与音的交涉。上例虽曰有妨词律，尚可以两句为推，此则一句矣，且为较短之句，以清真之细于律殆未有不检点者也。他分明写的是两个字，你定要读一个音，怨谁。

此已足成吾说矣，然犹缺少一旁证，美中不足，于是在幼时所读"古文"中觅得之。王安石《游褒禅山记》曰："独其为文犹可识曰花山，今言华如华实之华者盖音谬也。"华山须读花山，与拙说似异而实同。彼所以改读者，有古本作花山故也，若彼不见古本，则不敢读明矣。质言之，此华山之华，华字其形，花字其实，非读华为花，乃读花为花也；本不知其误，有待扪读残碑而始知之者，是宋人习惯，见一"华"字，不问其本来为花为华，皆漫读以华音也。其情形正与今日相同耳。

宋人既读华实之华为阳平矣，读桂华之华为阳平矣，则其读露华之华也，虽其本身尚无明文，亦必为阳平无疑矣。今反曰华当读花，谱以阴平为正，岂不大谬。若以叶谱为古，则宋词当然更古，即通行工谱，视为俗谱者，亦或更古。盖师师授受，口耳相传，虽讹失窜变往往有之，然其音逗曲折之一部分实有系于旧，不必概出于伶工之杜撰也。今不辨其是非，悉校以义书以为从古矣，而不知俗谱之根柢或更占于文人所依据之书本也。彼经学中今古文之争亦若是而已。《褒禅山记》末曰："予于仆碑，又有悲夫古书之不存，后世之谬其传而莫能名者，何可胜道也哉，此所以学者不可以不深思而慎取之也。"聊拈此题，以就正于知音怀古之士。

词曲同异浅说[①]

词、曲者，乐府之支流，自有唐迄近代。其起也，非有意的文学革命，如今人所云，乃由音乐之自然迁变而成者，"䛐"者，意内言外，上司下言，作"词"者，隶体也，与"辞"通。古乐府有声有辞，辞即词也。曲者，曲折也。《汉书·艺文志》有《河南周歌诗》，又有《河南周歌诗声曲折》，其卷数相同，若释以今言，则犹两部传奇，一无音谱，一有之耳。《礼记·乐记》曰："故歌者：上如抗，下如队，曲如折，止如槁木，倨中矩，句中钩，累累乎端如贯珠。"此"曲折"二字所由出，亦即曲之具体形容也。今乐虽非古乐，而事理则同，后人所谓"音节杂比高下短长谓之曲"（张表臣《珊瑚钩诗话》），其义略同。就乐府之文词而

---

① 原载1943年《华北作家月报》第六期。

言曰"词"，就其声音而言曰"曲"，皆乐府之异名耳。

词、曲既皆为乐府，故两名每混用。方曲之未兴也，词亦泛称为"曲"；迨曲既盛行，曲又广称为"词"。清宋翔凤《乐府余论》曰："宋、元之间，词与曲一也，语稍不憭，殆即指此而言。"宋又曰："以文写之则为词，以声度之则为曲。"此即上述之义也。如称和凝为"曲子相公"，《花间集叙》曰"曲子词"，晁无咎评东坡词曰："曲子中缚不住。"词即曲也。曰《北词广正谱》，曰《词林韵释》，两书皆为北曲而设，则曲亦词也。词、曲之界说既含混如此，自非片言可尽，今言词、曲之同异，只可择要而加以比较耳。

一、渊源之相同也。顾起纶曰："唐人作长短句，乃古乐府之滥觞也。"昔人以李白《菩萨蛮》《忆秦娥》为词之祖，其实两章真伪尚不可知，而六朝乐府，如沈纹《六忆》之流，已多为长短句，往往有类词者。推而上之，汉武《秋风》亦名"辞"，屈、宋《骚》《辩》亦名"辞"。词曰诗余，诗之余也，《三百篇》中已多繁促相宣，短长互用，启后人协律之源。故词体虽定于唐代，而其渊源则甚古也。词体既立，流变渐滋，令、引、近、慢，词穷而曲生矣，《艺苑卮言》曰："词不快北耳而后有北曲。"又曰："曲者，词之变。自金、元入主中国，所用胡乐，嘈杂凄紧缓急之间，词不能按，乃更为新声以媚之。"是曲有胡乐之成分，似与词不同，而细按其实，则词岂无胡乐之成分欤，亦只有新旧之别耳。大凡异域文明，移植中华，其新来者犹存其外国之面目，其旧入者辄转而为国粹，固不独词、曲为然也。如琵琶之于批霞那，胡琴之于梵娥铃，岂非五十步百步之别，而何国粹之有。

词固出于古乐府，但乐府之风流却不仅为词，有大曲焉，有法曲焉，有转踏焉，赚词焉，诸宫调焉，皆词之昆弟行，而金、元戏曲之直接尊亲也。故曲体之生，一方直接与词相承，一方又与词同导源于古乐府，王氏《戏曲史》已备言之，故词、曲之同源，在文史上实不可否认之事实也。

二、体裁之相近也。词、曲均以白话为当行，而愈转愈趋于繁缛雕饰，此文运之相迎也，词分为令、慢两体，若《填词图谱》长调、中调、小令之说，非古也。曲则分小令、套数，小令约与词相当，而套数联数曲或十余曲为一套，此词中所无。但如宋赵德麟叠用〔商调〕《蝶恋花》咏西厢事，便有套数风味，此体裁之相近也。据王静安统计，在北曲三百三十五牌名中，有七十五种与词相同；南曲有五百四十三牌名中，有一百九十种相同。是南曲与词之关系较北为尤密。此牌名之相袭也，或以曲用衬字，词则不用，为二者之别。其实亦不然。北曲固多用衬字，亦有以少用衬字为贵者，至南曲则必须限制用衬，所谓"衬字不过三"是也。词中亦非无衬字，观敦煌发见之唐人词可证，是在用衬字一点上，词、曲非有大异也。

三、歌唱动作之相似也。词不可歌则有南北曲，南北曲不可歌，则有水磨腔，今之昆腔是。以今日言之，所谓宋词、元曲皆为书案上物，不可被诸管弦，而在当日本皆可歌，此不待证而明者。北曲是弦乐，其伴奏者为三弦。词、南曲皆管乐，其伴奏者为哑觱篥、箫、笛，亦有徒歌者。

曲有身段动作，似与词异，若细考之其区别又不分明。曲中之小令、散套皆清唱，无动作者也，杂剧、传奇其扮演时有动作者也（当然亦可清唱）。是曲不必皆有动作者也，即以元戏言之，或言唱者自唱，演者自演，歌唱不与容止相丽，虽未成定论，却可备一说，是曲中之身段动作亦并不完全也，返观唐、宋之词，亦非全是清唱，词出于古之队舞，如《菩萨蛮》《苏幕遮》皆是也。据《容斋随笔》有"骏马、胡马"之说，则《苏幕遮》简直是马戏中所唱之牌名。刘复所辑《敦煌掇琐》中载有唐代词之舞谱，虽不可诠解，而其必有动作无疑也。是身段动作不足为词、曲之分界明矣。但后来之词仅付歌筵，继起之曲殊宜舞榭，似各有专工而不相蒙，却非二者原来有此区别也。如白石诗云："小红低唱我吹箫。"其不含动作甚明。

言其异点,却非片言可尽,综括之亦有数端,恐亦未全也。

一、词、曲内容之不同,王氏已言之。词多为抒情,几占百分之九十以上,其叙事者则为鼓子词,如上引赵德麟《蝶恋花》,但传世不多。代言除在文中夹有片段,几绝无也。曲则三者均有,而以代言为胜,剧曲殆纯为代言体,而曲固以戏曲为其大光明宝珠也。其小令、散曲犹与词相近耳。又词以艳体为主,铜琶铁板称为别调,曲则无所不包,无施不可,广狭亦殊异也。

二、宫调之不同,宫调究为何物,古今聚讼,迄无定论。词、曲之宫调固皆隋、唐燕乐之遗,与先代雅乐无关,词有七宫十二调,北曲有六宫十一调,南曲则减为十三调而尚不全用,其数字已各不同。且词之与北曲,北曲之与南曲,词之与南曲之间,其宫调究是一事否,正有问题也。徐文长《南词叙录》曰:"北曲盖辽、金杀伐之音,然其六宫十一调,犹唐、宋之遗也。"是北曲宫调本诸古昔。但其言实甚笼统,且既为胡戎杀伐之音,又岂得与古调相合?依情理揣之,知其不然也。徐又曰:"南曲本市里之谈,即如今吴下山歌,北方〔山坡羊〕,何处求宫调。"却为明通之论,南曲宫调实系杜撰,不过取声音之近者归为一类而已。南曲宫调既为后人杜撰,聊装点门面以配北曲，视北曲且尘下，其不足为词之嫡嗣甚明，地望虽相近而时则相距远矣。故宫调究竟为何未可知，而词、曲之宫调并不相同，则可得而言也。

三、旁谱之不同，分为两点：（甲）旁谱本身之不同。南北曲之文谱今保存在昆腔中，虽已非其凤，而犹可仿佛，大概每一字之旁谱长而且复，词之工谱已不存，幸姜白石集中自度腔均附旁谱，虽节奏不可知，而音符约略可辨，盖一字一音而又颇拗涩，与曲谱之绵长流利迥异也。此犹为形式之可指别者，更深求之。（乙）旁谱作法之不同。揣白石翁专为新制之腔留谱，而其他则否者，以旧曲之谱原不待书也。盖词谱是固定的。譬如《浣溪沙》有一万首，而此万首只是一个唱法——《浣溪沙》。其情形与今之《五更调》"孟姜女唱春"并无不同。词家之不为词留谱，直以万口从同而忽视之，当日写谱宁非冗赘，而孰知词之唱法，缘此而亡也。曲则稍异，原始之北曲亦是固定的，或半固定的。沈宠绥《度曲须知》曰："古之弦索但以曲配弦，绝不以弦和曲。凡种种牌名，皆从未有曲文之先，预定工尺之谱。"又曰："指下弹头既定，然后文人按式填词，……曲文虽有不一，手中弹法自来无二。"其言甚明，无须申说。元曲亦以一曲一谱而亡，与宋词实相若也。但沈君所谓古，指元代或明初而言，若明代之弦索已渐不固定矣。故沈曰："昔弹之确有成式，今则依声附和而为曲子之奴。总是牌名，此套唱法，不施彼套。总是前腔，首曲腔规，非同后曲。以变化为新奇，以合掌为卑拙。"其为半固定的，又甚明矣。此种情形若强名之，殆为北曲之南化也。今日昆腔昆谱之法，以字音为主而以音律从之，虽发明于魏良辅，而南曲盖先有此倾向，非良辅一人向壁虚造也。不过原始之音太芜陋，魏氏起而正之耳。余尝疑南曲最先实无定谱，名为一个牌子而唱法出入太多，故魏氏得以字音为主而撇弃古法也。要之词谱是固定的，北曲是半固定的；南曲是杂乱的，磨调是活动的，此旁谱作法之异也。

四、最初之词、曲虽同为口语体，同趋于文，而后来雅俗之正变似相反也。换言之，即词之雅化甚早，而白话词反成为别体；曲之雅化较迟，固已渐趋繁缛，仍以白话为正格也。此种情形在文史上一览可知，不待烦言也。原因自非一端，而口语在词、曲中用法不同，亦主要原因之一。曲似乎始终以口语为主，而以文言中词藻错杂之。凡历来成名之曲家，无不以白话擅场；反过来说，若不能善用口语，即无为名曲家之资格也。明人固不待言，即清代之南洪、北孔，亦非仅以雕琢涂饰见长者。词用口语只在宾位，却有两种情形：（甲）白话的词老早就被撇在一边，在名家集中偶或见之，如少游、山谷、美成诸家，皆在普通之词外别有白话体，却占全集极少之百分数，又不以此传名。如近人胡适《词选》，凡浅显之词均引归白话，与史实不合。（乙）词中白话可当作文言用。其形式虽是白话，而用法无异文言，如"了"字本为白话中语助，如"我来了"之"了"，此了轻读。在词中如"甫能炙得灯儿了"，此"了"重读，若读"甫能炙得灯儿了"之"了"，如读"我来了"之"了"，则不成为词矣。试观词之名家贵能沉思翰藻，并不必善用口语，多用口语反成轻倩小品，每不为评家所重。故词、曲之源同为白话，其流变迥异；曲犹保存其乐府之本来面目，词则成为诗之别体矣。

五、乐府中有大曲、小唱之别，词者小唱之一，而曲则大小兼之。曲中小令亦是小唱，其套数导源于古之"大曲"，乃集多曲成为一曲。词则以一曲或两曲为单位，（单调者一曲，双调者两曲。凡词之上下两片者，即双调，实为两曲，其后一曲大概为前腔换头也。）至长为《莺啼序》，亦不过四段。鼓子词为词之别体，亦只叠用同一牌名而已，不如曲套之复杂也。曲套之分为首、腹、尾三段，尤为词中所无，以其导源虽同，本不尽同也。

六、风格之不同也。此固难于确指，而如水冷暖，惟饮者自知耳。尝谓词毗于柔，曲偏于刚，诗则兼二者之美。词虽出于北里，早入文人之手（唐五代），其貌犹袭倡风，其衷已杂诗心，多表现作者之怀感，故气体尚简要。曲则直至今日犹未脱其歌场舞榭之生涯，犹重听众之情感，虽文家代作，不能与伶工绝缘，故情韵贵旁流。词静而敛，曲动而放。词纵故深，曲横故广。以词事为曲，必拘而不化。以曲笔为词，必直而无韵，故词、曲名为娣姒，而自来文人兼工二体者实寥寥也。其他微细之差别，洵如士衡所谓"良难以辞逮"。窃谓诗之于词，不仅齐言与长短句之别，故"落花人独立，微雨燕双飞"，不是五言诗；"无可奈何花落去，似曾相识燕归来"，又不是七言诗也。词之于曲何必不然。若"朝飞暮卷，云霞翠轩，雨丝风片，烟波画船"，（《还魂记·惊梦》）又不像《沁园春》中四句也。此种区别貌似玄虚而中甚切实。上述词、曲不易兼工，固是一证。元、明人作曲之才殆属天纵，而词未必佳，及清人复振宋词之坠绪，而曲又衰矣。如洪、如孔，视关、马、郑、白、王实甫、高则诚、汤若士、徐文长何如耶，固云文章气运使然，岂非词、曲二者，其间本有犁然之界耶？世有解人，当不以鄙言为河汉也。

至于二者之前途，既非本篇题目所括，且蒙昧前识，亦无由预测。然其兴也，本诸乐调；乐调既亡，则譬诸无源之水，涸可待也。故大抵都不能乐观，而曲之继起无人尤甚于词。何则？词已蜕化为诗之别体，得随华夏言志之文章以俱永，如人之借尸还魂，假如有其事。曲则始终留滞歌场，乐而不诗，今恐已成绝响，不待他年也。试观近百年来，词家几人，曲家又几人，其消息盖可识矣。元、明人作曲之才实是天纵，不可测也。更详之，明人尚是勉强凑合，琵琶可归入之曲，汤、徐二子以视元人，犹虎贲之于中郎也。绝大之文章在数十年中优昙示现，不可谓非文史上之奇迹也。明人每言元代以填词（*即作北曲*）制词取士，或疑其未确，余则以为盖事实也。若无在上者之提倡，安得若是之风起云涌乎？

论作曲[①]

作曲之道益难言矣。余谬任词曲一科，与诸生相聚者经年，今且别矣，爰书数言为临歧之赠，亦瞽说也，以野人茁炙视之而已。古今论作曲之文众矣，然而片言居要，惬心贵当者，以愚固陋未之见也。夫大雅私达亦有所隐耶？将疾徐甘苦之衷形诸翰墨，虽轮扁亦将避席耶？愚斤不成风，何必郢人之质；操非流水，岂待钟期之听；聊为诸生舒吾狂惑，不足为外人道。观夫自来作曲之利钝，信如易安所言："别是一家，知之者少。"称心为好，则妙若天成，刻意苦吟，又翻成芜累，或学穷五车而不成一字；或之无未辨而出口成章；或俚鄙通篇，许为当家之合作；或楼台七宝，笑为獭祭之凡才。譬诸赤水玄珠，求之则象罔不得；昆山积玉，琢之则太璞不完。其

[①] 原载1934年《人间世》第二期。

体卑,其词陋,其调下,然因微见著,触类引申,弥纶上下,通乎古今,劳人思妇不能自言之情,贤人君子不得自已之感,盖往往于此中见大凡矣。立意遣词,一切文字之通轨也。而作曲者有时似并此不讲,有时讲此二端犹病其不足。何以言之?吾非言作曲可不立意也,特有时只可求之咫尺,不当求之天涯耳。如玄言玉屑,天人之妙也,入曲则晦矣;体国经野,内外之学也,入曲则腐矣。君何思之深耶?吾居浅促,不足容君之深也。君之学何其博耶?吾又陋甚,不足当君之博也。相女配夫,门当户对,若降肃雍之车于圭窦之室,则挟瑟游齐,章甫入越,欲求知音,颠矣。夫好学深思之足劭也,斯无间于古今者也,以之入曲且有不尽然者,此其所以难言也。然则不好学,不深思,即可以作曲乎?斯更难言矣。劳人思妇之怀,迹浅而意深,言近而旨远,实为古今名作精魂之所托。然劳人思妇之怀每不能自言之,能自言者百什之一二,不能自言者其七八,此七八成之无名悲喜,听其驭荡,听其泯没于两间之中,岂不大可惜哉!于是有起而收拾之者,所谓贤人君子是也。是劳人思妇之代言人,亦即劳人思妇之本身也。贤人君子非他,好学深思之士也。何以言之?夫贤人君子之必为好学深思之士亦明矣。何以即为劳人思妇,请毕吾说。今曰某代某,必互相类似与契合,否则不得以某代某也。白傅《琵琶行》代商妇言，亦白傅自言也；端己《秦妇吟》代秦妇言，亦端己自言也。以此两大歌行为纯粹匹妇之言固非，径谓为文人之笔亦非也，试观《浣花集》中更有沉着痛快如《秦妇吟》者乎？观《长庆集》中更有回肠荡气如《琵琶行》者乎？即不绝无，亦仅有矣。然则于此等名篇中，不谓其有劳人思妇之精魂在焉，必不可也。夫贤人君子照耀丹青犹代有其人，而贤人君子之兼为劳人思妇者，则旷世不一见，见不必遇，遇亦不易识也。岂非所谓才子也欤？才子者，好学深思而又不为学问思维所缚者也。博闻广识而心常不足，极深研几而迹类庸愚，此其所以不易识也。不矜才，不衒学，意有所会，信手拈成，辄有妙悟，以之作曲，若是者谓之当家。苟非其人，意不虚生，此立意之虽可说而终于不可说之也。根柢既固，枝条聿繁，遣词之方准夫立意，立意之外宁有所谓遣词哉。姑赘数语云。大凡前人总已说过，不外清新自然。欲其清，不清则总杂矣；欲其新，不新则陈腐矣；欲其自然，不自然则七扭八捏，丑不堪矣。昏昏欲睡，犹其上者，下之则竟不入目矣。十年窗下之功毁于一旦，宁不可惨。有俗而雅者，有雅而俗者，有言深而意浅者，有言浅而意深者，有独造而似抄袭者，有抄袭而似独造者，……凡此纷总皆以寸心衡之。断制在己，不可他求也。撷取词藻之途，则上下古今，闺阁闾阎，无往而非适，贵在能选，能运，能颐指气使，以意役词，不以词役意，范氏诚先得我心哉。典宜少用，以醒豁为上。少者多之，旧者新之，上之上者也。此中亦有乐处。用典太俗滥，则西子蒙不洁矣；用典太生僻，即非有意炫耀，已不免艰深文浅陋之嫌，贻笑通人，求荣反辱矣。乡里之音，曲中原不避忌，况在今日！但不宜用得太多，或不谐适，其制限与用典同。若原系乡音之曲，则又须悉遵本音，勿羼入其他。谐谑适当，最增文字之机趣，"善戏谑兮，勿为虐兮"，已一语道破，可作弦韦也。若往而不返，出口放言，均成市井，复有何趣味耶？甚至于发人阴私，以文字贾祸，严墙悄立，更无所取也。拉杂言之竟不能尽，颖异之才实待繁言，为钝根说法，长言之恐亦无益，中人上下又虑可隅反，故虽不尽，亦竟不必尽也。且尽此立意遣词二者，亦不足以尽曲也。律者曲之生命，作曲之必须合律固也，然合律亦难言矣。古之音乐简，每与文词丽，而士大夫又与声歌结缘或自歌，或其亲近者歌，故合律易。今之音乐，其高上者已离文字而自成绝艺，其尘下者似又不足丽文词，今之学者，除在中学循例曾上音乐功课以外，与声歌亦鲜接触，似乎说不到合律上去，难易犹其次耳。今之词，绝学也，谨守绳墨与毁裂枷锁，两无是处，以成就最高之疆村翁言之，至多一再世之梦窗耳，若后主、少游、东坡、美成、易安、稼轩，吾知其断断乎不可复作也。岂必古今人定不相及哉，盖词律之亡久矣。南北曲亦然，元、明作者风流顿尽矣。今之存者昆曲以外，皮黄、小调、大鼓之类而已，虽颇尘下，而好事者亦往往歌词被之。此等杂曲不作则已，欲作曲，先度曲，决不可任取已成之曲，尽依样之葫芦也。夫画葫芦而似，必窘迫矣，不似，必乖忤矣，皆非也。故作词而画葫芦不得已也，今既得已，何必不得已哉。度曲者未必能作曲，而作曲者十之八九皆能度曲。作曲而兼度曲事固较难，然亦不可畏难而竟辍也。天下岂有容易事乎。观古人作曲有极谨严处，有极率意自在处，论其谨严，不但阴阳四声、锱铢殿最而已，甚至于有同一平声字而费尽斟酌者（见《词源》卷下）；论其自在，则句法多少长短可以不一（词中之又一体，曲中之衬字加句），读法可以不齐，平仄可以互易。彼何所据耶？彼岂不画葫芦哉？亦曰所画的葫芦不同而已，今人作今曲，舍古人作古曲之根柢不学，岂得谓之善学古哉。或曰：昔临川氏不云乎："予意所至，不妨拗折天下人嗓子。"先生非服膺汤氏者乎？乃斤斤于曲律之末，何耶？应之曰：唯唯，否否。夫临川怀绝代之才，博览元曲，寝馈其间，又生当弦索未泯磨调盛隆之日，宁不知音，此盖故作惊人之语，针砭俗耳，万不可被他瞒过也。观所作曲，带草连真，神明变化，即偶有未谐，在临川则可，我辈决不可也。何则？

我辈未必有临川之才情也，非特无其才，并无其学也。如《牡丹亭·惊梦》一折，论者或訾其宫调错杂，彼乌知所谓曲意者耶。明中世以后，汤、徐两家见解最高，余子碌碌不足齿数。进一步说，音律者曲之规矩，即其生命也。巧者，巧于规矩之中，不巧于规矩之外者也。以世俗言之，规矩外也，神明内也，规矩足以迫束彼神明，而神明正所以打破此规矩者，不两立之说也。善读书者，真识曲者，则谓神明规矩一而已矣。神明不能自形，假规矩以形之也。故当家作词不见有词调，作曲不见有曲调，名作具存，可覆按耳。彼且絮絮叨叨，如家人妇子剪灯拥髻，道桑麻纺绩，讲邻舍猫儿，曰桎梏，曰束缚，了不曾见，实无所见也。然细寻其作，则又曲中规，直中矩，壁垒精严，如临淮卒，如细柳营，吾知圣叹至此必将叫绝曰：才子之才固不可测也。夫不作曲可也，天下事其重要有什么百千倍于曲子者矣，不作且犹可，况曲乎。但以"作非曲"为"作曲"，悬羊头，市马脯，欺诳之谈也。曲与非曲之辨，只在合律或否。律有二，一之，有音律之律，有规律之律。所谓曲律，音律也，而规律即在其中。音律之外无规律，曲子以音律为其规律也。当曲之盛隆也，有音律而无规律，及其衰也，音律未泯而规律已生；其亡也，规律仅存耳，律亡斯曲亡矣？规律亡斯尽亡矣。以词言之，五代、宋人盖不知有词之规律也，南渡末世渐有词学，而词遂亡矣。非词学足以亡词，乃词体将变，怀古知音之士，闵其衰而有作，期存什一于千百也。以今日之诸曲言之，有音律而无规律，皮黄、小调之类是也，二者尚同在，昆曲是也；无音律而有规律，词是也。填词不如作昆曲，作昆曲不如作皮黄小调。以诗义言之，殆有相反者矣，虽隆古贱今，其说固不可尽废也。此仅言作曲之利病，在一观点上应如是耳。盖音律之视规律有数善焉：（一）音律天然，规律人为。（二）音律弹性，规律硬性。（三）音律有情调，规律无情调。（四）音律以简驭繁，规律已繁而仍不免予简。（如《词谱》每列甚之又一体，使人目眩，实只一体耳，且不能尽。）（五）音律曰如何，使人明其所以然，规律使人莫名其妙。（如词中斤斤去上，每觉无味，而在昆曲中二声之连合，时多美听。）（六）音律有顺而无拗，规律有顺有拗，律则不复顺。（此一点可参看《诗的歌与诵》。）（七）音律之追随，水乳交融，故乐；规律之服从，亦步亦趋，则苦。（八）音律者规律之本源，规律者音律之影响也。寻源斯得委矣，因响可寻声乎？上列八目，不暇申论，就涉想者举之，即有挂漏，亦不免也。读者当自省之。故求音律于曲中，苦事亦乐事也，今既详言之矣，（若本不能度曲，任取一工谱，径直令其填词，如对天书苦不可言，此乃另一情形。）惟诗、乐分合,今古情殊,异日作曲之业,殆非文士之兼差,当属诸乐人之兼通文章者欤。盖音乐者专门之艺,文章者普泛之情,以此摄彼,势逆而难,以彼摄此,势顺而易也。然意必卓荦,词必清新,文律所裁,虽曰容易,要非甚易也。苟有不能力作攻苦,深思好学,资之深而取之广,安有左右逢源,从心所欲之乐哉。作曲之道有可言者,有不可言者。凡上所述,曰立意,曰遣词,曰合律,皆可言者也。其不可言者,气味是也,更为诸生发其一二,以作余文。气,气机;味,滋味也。文以气为主,作曲更在气机,一不利全篇疐矣。大抵一支曲子,气机之运用须占十之七八,而学问思维等等仅可占十之二三,每观前修所造,里巷所传,其内涵实亦浅陋,而处处合作者,气机谐邕之效也。文士经心刻意,造作传奇一部,妄灾梨枣,徒覆酱瓿者,气机窒碍之故也。不谙音律,则必须尺寸以求;尺寸以求,气机何来?又喜掉书袋,卖弄家私,充肠挂腹,气机何来?又性好夸大,填长调,作巨构,真感不充,则终篇遗恨;又好吊诡,求工拗涩,冥行摸索,则颠踬凌夷,救苦扶伤且不暇,更何言气机之舒展否耶?凡此芜累,皆酸丁之故态也。夫气机之巧拙通塞,先士言之晰矣。子桓曰:"不可力强而致。"士衡曰:"非余力之所勠。"盖俱言得之于自然也。甜酸苦辛,味也,可以百为,唯不可俗,俗便不可医也。或谓不俗之状，曰难言也。俗非俚俗之俗，有文而俗者，有俚而不俗者矣，故曰难言也。今言"得味"，此颇中肯。有味斯得，便不会俗，不得则无味，无味则俗矣。一针见血，是不俗也，隔靴搔痒，其俗甚矣。以我辈中人言之，所谓顶门针，当头棒，不落言诠，直传心印，非有绝大功行者不办，而劳人月下，思妇灯前，其悲愤怨悱固出于万不得已者，乃郁勃而泄之，吞吐而道之，低眉信手续续弹，不必求工于文词，文词且踊跃奔赴之矣，重穿七札且若寻常，其得味之程度，较之文士谵语，固将不止倍蓰也。又若碧涧樵歌，青山渔唱，牧哥叫笛，村姑莳秧，天籁所钟，于喁为均，风生水上，自然成文，无所谓得已，亦无所谓不得已，欲说就说，不说就不说了，欲如此说便如此说，欲不如此说便不如此说了，此无味之味，以不得味为得味者，视有为而发之呻吟，固又不止什百也。要之，清浊有体，开塞无端，气之说也；冷暖自知，酸碱各辨，味之谓也。凡上所述有如捕风，宁不自知哉。岂意慵才劣有所谢短乎？抑随手之变难以辞逮，古今之所同病乎？然非诚难也，在一尝之顷耳，言斯难矣，于是不言。

一九三三年五月九日

与友人论宫调书[①]

嘱查《西厢弦索谱》，诸调煞声并不一致，另录奉。此谱或晚出，非胡元之旧。《梦溪笔谈》曰："法虽如此，然诸调杀声，不能尽归本律，故有偏杀，侧杀，寄杀，元杀之类。"则今传诸谱之不一，亦或未足为病。承询宫调，弟之僭说，陈之于下。此仅言理想上的、形式上的原始之雅乐，至于燕乐词曲，恐另是一道，不相通。律以定音，每律只能发一声。（今日两笛合吹，每每高低不一，以无定音之器故。若有，则各乐器以律校之，无不合矣。此孟子所谓："不以六律不能正五音"也。）笛以度曲，每笛具七音，而只有一种笛色。假定宫上商尺角工徵合羽四变徵凡变宫一。所谓黄钟笛者，即黄钟宫笛，即此笛之宫或上字应标准律之黄钟也。而其余六声各应

[①] 原载1942年5月1日《万人文库》（旬刊）第十二册。

十二律之某某可推。十二笛各具一种笛色，却不能翻（事实上为图简便，古之伶工亦喜翻调）。翻则其不准确殆与今之一笛到底无异，此大乐之笨拙也。《宋书·乐志》：黄钟之笛有正声调法（调法即笛色），下徵口[①]法（以正调之下徵为宫，即以四字为上，与今之翻调同）。清角调法（以角为宫，呼为清角者，哨吹令清，用力吹也，与今笛之合，哨吹则为六，法同。）其下徵清角二调法七音不能悉正。（下徵调之凡字清角调之工凡为乙俱不准而似有对付之法。见注。）欲求其正，唯有翻而换笛。黄钟笛下徵调法等于林钟笛之正声，其清角调法等于姑洗笛之正声，似可迳以二笛吹奏之。然而不者，清浊也。犹之今日若制七笛，则可同用一种吹法吹之而无须乎翻。然而不者，殆今古之情同欤。八十四调为另一笔账，乃以十二笛中之七音施之于乐也。十二声乘七得八十四音，故八十四调。每一笛七调，如黄钟宫，太簇商，姑洗角，蕤宾变，林钟徵，南吕羽，应钟闰，皆用黄钟笛吹是也。颠来倒去只此七音。此七音乃黄钟笛中七阶而可构成七种殊异之音奏是之诸宫调。乐谱上也有殊异，便是疑难。王光祈更西东制之研究以为宫调，宫者以宫为基音，调者以商角徵羽二变为基音也。（一〇四页）

[①] 编注：底稿原文如此，故与原文一致。

何谓基音,据王说是一音级中最低之音,如用简谱明之,(仍以宫配1、商配2)1234567——宫,2345671——商,信如此说是诸商较诸宫演奏上高一字,若升至变宫,即今乙字调,岂非一派清音,高吹入云耶。未知王说合否也。此非旋宫,因宫商固不变也。必宫商移易,始谓之旋宫。今笛之翻调是也。不过音欠准确而已。王曰:"现在所谓翻七调,即是以笛上七音各作一次基音,如上字调尺字调即是以某字为基音之意",此又混笛色于宫调,阅之令人迷罔。若以旧说起调毕曲言,则黄钟宫者乃以黄钟笛之上字起调也,太簇商者,以同笛之尺字起调。也燕乐考原有"宫调之辨不在起调毕曲说",起毕是否謷说,弟不能对,与基音之说相通或相违,亦不能对也。似乎基音之说可包起毕,起毕或是基音之一种用法欤。宫调之辨固不仅在首尾音上,却亦不得谓为无关。起毕之中,毕曲尤重。沈姜只言杀声住字不言起调,起调或出于推想附会,凌说其然欤。何以起不如毕?盖终篇必韵,曲中韵句与叶,重文旋回,是为主干,重杀声者其以此欤。惟此类说法,已是燕乐之情形,雅乐或不甚相远,究未知如何也。再简括言之,一音级有十二声,以律定之,十二律者标准之音也。以之制十二笛,每笛一调,标准之笛色也。十二笛合有八十四音,以十二声乘七阶所得,非真有八十四音之多也。以之制宫调则有八十四,乃任取其一为基音而施诸乐谱也。八十四调亦不全用，不过理想上之可能，形式上之铺排而已，即燕乐之一十八调又何尝全用耶。宫调与笛色有固定之关系，故睹宫调即可知其应用何笛色，今之不能，混乱零落故也。

再与友人书[①]

来函详论宫调，惠我良多，不减一篇论文也。书中要点为宫调之别由于半音地位之改易，谓七均计有七种不同之音阶排列法，一笛翻七调皆准，此与弟前信所陈是一种事实之两面看法。假定音阶只有一式，故谓"只有一调准，翻调音即不准"，兄曰非也。寻尊意，是将所谓翻调不准之音，一起当作正音看，故云尔也，虽结论似正相反，而其实未尝不相通。谨陈三事，不敢云攻错，备采择而是正焉。

（一）《宋志》所记"正声""下徵""清角"调法，尊书亦谓之翻调也。试以上配宫声，列如下表。（下浊上清，不正音，加方围。）

[①] 原载1942年6月1日《万人文库》（旬刊）第十五册。

黄钟宫笛	下徵①	清角②
正声调法	调法	调法
太商尺	徵尺	闰凡（夹钟）
黄宫上⎫ 应闰一⎭	变凡⎫ 角工⎭（大吕）	羽五⎫ 徵尺⎭（大吕）
南羽四	商尺	变凡（无射）
林徵合一 蕤变几	宫上⎫ 闰一⎭	角乙⎫ 商尺⎭（夷则）
姑角工一	羽四一	宫上

来为记旁谱有AB二式，兹分别言之：（A）笛色不动而译其谱。前有学生以昆腔何以不作一色之小工调谱询某君，无以应也，此已触及宫调问题。以诸调翻小工谱，兄云读之拗口，似不赞成此办法然依尊说推之，此法实便。（以下称尊说为甲，七均七式，笛音正不须改，弟前说为乙，即七均一式，笛音讹须改。）以其不须增谱字也。如以六字调（角调）之四合工翻为小工调之上一合为例。（甲）无须增改谱字，上一半

---

① 《宋志》以为凡字不准，工凡间应用全音，今配应黄则半音也当配大吕，以括弧示之。配大吕则工凡全音，凡六半音仍与正声调法合。笛上无大吕律以指法假用。

② 此调不正之音得4-7故曰"谣俗之曲不合雅乐"也。

音,四合非半,但六调之四合间本是半音也。歌者径照小工调之上一合唱去,自然合于六调之四合了。例出楼会。是南曲谱上虽无乙凡,而实有乙凡也,疑其不然。话说回来,南曲是否用乙凡,亦是问题也。(乙)须增谱字,不能依常式书上一合,当作上,下一,合,似仍有乙凡,其实不然,上(1)下一($2\frac{1}{2}$)合间是全音或短三阶无半音。但如此写法终骇人目,不改写作"上下一"又不行,歌者将照"上一"唱去,而不知原是四合之译名也,故昆曲不用此法。苟用此法,须备十二字谱,诡异之甚也。

(B)谱式不易,在笛上换调,今曲所用。(甲)须增谱字,仍用前例。谱书六调四(1)合($1\frac{1}{2}$)工,笛上是小工调上(上$\frac{1}{2}$)一(2)合,音距不合,当从笛。但欧者念谱字原只用一种念法,如我们拍小工调六调之曲,并不用两种唱法也。今则歌小工则上一半音,而四合全音,歌六调,反之,上一全而四合半矣,岂不病乎。故即认七均音阶之关系尽异,但为歌者设想仍宜译成一种通行固定之式,如小工调是也。(此非将六调谱译为小工谱字,乃言谱为六调不改,而其排列之式如小工而已。)若然,则四合工当作四下四工。此认小工调谱为准,四合全音,今乃半音,故作下四也。纯粹之六调本无须乎改谱,改则反而错了,合四向本半音,不得用下四也。歌者则有二途：（1）知道一个调有一个调之唱法，看见六调，四合便唱半音。（2）什么都不知道亦行，一味跟着笛子走，其准确与（1）正同。第三途却不行，念谱虽准，却不知七均七式，一死儿认定四合向全音，照此唱去，听笛上吹半音，会瞪笛师一眼，岂不冤哉。（乙）无须增字谱上六调四合工不错，当然不改，唱客口中亦是，惟笛以小工。

假如其说不误，则可证成弟之前说。依尊旨则徵角二调音阶排列，本不用正声之式，宋志所谓非者实在是正。下徵调之凡字本应用"黄"不应用"大"也。清角调有方围之四音，本应用"林""南""黄""太"，不应用"夷""无""大""夹"也。记来函所列三均之式子下方。

$$1 2 3 \widehat{4 5} 6 7 \dot{1}（宫均）$$
$$1 2 \widehat{3 4} 5 6 7 \dot{1}（徵均）$$
$$1 \widehat{2 3} 4 5 6 7 \dot{1}（角均）$$

其半音符号悉与前表合，是将宋书所谓非正之音咸作正音观。翻六调皆准，即可以之类推。王光祈书谓在昔希腊调子极多，后来西洋因发明和声学遂减少之，于今只有个（**阳调阴调**）与吾国情形近似，此与尊说相似。若以记载上证成之，便可成信说，固愿弃弟之前说而从之也。

（二）今笛七调皆准，以之奏曲则七调有一调无用，以之审音则七调有二调无据。传流宫调不论若干，均限于宫商羽三均，于是笛上之角、变、徵、闰四均，悉无所施用矣。而今乃尽用七均，何欤？又昔人谓"徵与二变，咸非流美，故自来少徵调曲"，而来书言"今之国乐，宋之俗乐，皆徵调也，"又曰，今笛第一调（是指小工调）"非宫调而为徵调也"，似与之不合，当必有说，或弟有误解欤？岂雅乐少徵调而俗乐多欤？若曰少徵调曲，非少徵调也，徵调曲以乐谱言，徵调者笛色也。然乐曲上徵调特少，乐器上用徵调独多，亦难明也。至于七调之中当有闰变二均，今笛非古，然必有所受也，而来书曰"二变虽胡乐中亦无之"，是七均中五式正而二变之式无所受也，岂为音讹欤？夫一正声翻出六调，正则尽正，讹则咸讹矣，今谓此六调中四调有本，而二调则为正声之讹，理不可通也，妄言当勿罪耳。

（三）字谱未知始于何时，或在琵琶上有而唐宋以来用之，殆为校正半音而设，故有"下某"之目。六代不用，是器数未密，后起转精耳。琵琶便于调整，管乐反正是这几个音，无所谓下与高，欲凭指法，难得此等精细之笛工也。

调之上一合叶之却错，当校正为上下一合可矣。若笛上无"下一"之音可应，是器之陋，非谱之失，但当正器，不当改谱也。如无特制之六字调笛，小工笛谱上固应增字。其不增何也？笛上反正发不出这些半音来，增谱何为。谱增而笛不增，谱正而笛声不正，亦无益也。然则今之笛师与唱者合用一谱固其宜耳。下一下凡等字宋人所用而今谱无有，昔常疑之，今稍明其故，本无须乎此也。概括如下表：

解说 \ 旁谱记法	A、将诸调译作小工调谱	B、以小工调笛翻诸调（今曲用之）
甲、七均七式，笛音正，不改说	不须增谱字，如下一之属	须增谱字
乙、七均一式，非正，宜改说	须增谱字	不须增谱字

与汪健君书论正声变调[①]

今笛翻调实合一正声（宫）六变调（调）非七宫也。（不正是器之失，无论"宫""调"其半音之关系不变。）与西洋琴调为十二宫者不同，但亦呼为还宫。本以黄钟为宫者，今以太簇为宫，非还宫而何，宋志注中之言亦不误也。今举太簇宫（正声）与太簇商，一名黄钟商（变调）为例以明之。

太簇宫——宫商角变徵羽闰
　　　　　太姑蕤夷南应大

指法 \ 笛名	黄宫钟笛	大宫吕笛	太商簇笛
合	黄	大	大
四	太	夹	太

（注）笛为特制，其吹奏指法虽同为合四，而太簇商笛所谓合四之间，其音距只一律（半音）实非合四，乃凡合也。江兄谓商调凡合间无半音者，是以讹失之笛为正也。

[①] 原载1942年8月1日《万人文库》第二十一册。

江兄之言曰，"如七调一式则十二均只有十二调，无法成八十四调，有黄钟商等于太簇宫矣"。此言宜详辨之。太簇宫并不等于黄钟商，已见上表，惟清浊微异，相近似耳。凡同宫之正声变调之别在乎清浊。清浊相近者听之或无异感，而相远者即截然不同，诚引极端之例即明也。如应钟宫与应钟富闰同以应钟为宫，而应钟宫是正声，应钟闰却是黄钟宫笛之变调，即是以原居闰位之应闰为宫也。以律名宫商对照，写表如下。

大夹中蕤夷无应大夹中蕤夷无

吕钟吕宾则射钟吕钟吕宾则射

　　　　　宫商角变徵孙闰——此应钟宫

商角变徵羽闰宫　　　　——此应钟闰

虽应钟为宫不异，其他六律皆同，而正声之六律皆清于宫，变调之六律皆浊于宫，在乐音之情绪岂无差别，此宫调之所以立也。——不足以尽宫调耳。

今笛尽管翻调而并不高唱入云者，一笛故也，昆曲之所以沉闷欤，如唱"上调""乙调"曲，差别并不多，调高则谱字低，调低则谱字稍高，昔总不得其解，今知之莱，或迁就歌喉，或乐主中和不求激亢，未必无他因，有一点却易明，即笛上发不出许多特高或特低之音也。欲求其高，必一气哨吹，恐吹者若而音又诡异也，若以十二笛移宫，唱乙字调用应钟宫笛，最低之音是乙，则从前所谓一派清音高唱入云者将验矣。

谱上

太簇商——闰宫商角变徵羽（即黄钟商）
　　　　　倍太太姑蕤夷南应

所用七律全同，而位置不同。虽同以太簇为宫，正声太簇在第一最浊之位，变调则移第二位矣。在第一位呼为太簇宫，在第二位呼为太簇商。太簇商者，非以太簇为商，（若以太簇为商，则黄钟宫，成黄钟宫矣。）乃以太簇宫，而居黄钟宫笛上之第二位，太簇为商时之厚位而已，即以吹黄钟笛上商字之指法作宫也，故一名黄钟商，通常呼翻高一调。其他可以类推，若备列八十四调自然明矣。

惟一笛不能翻调，翻调则音不准仍守故说。如以黄钟笛之太簇商作宫固可，而太簇为宫须用夷大二律，而黄钟笛上固缺如也，如何能翻耶？此种翻调本是一种还宫也。欲遂正音之理想仍不外二途：（一）径以西笛吹之，或制新笛拟之。计最清之调以应钟为宫，最浊之调以黄钟为羽，约当今琴律之三部。（王光祈书呼为音级，旧曰部，宋志注曰，"一部再倍"是也。）王曰，西笛有三十七律，备低中高三级，其言若信，则以之吹奏八十四宫调毫无困难也。（二）学古帝王笨拙之法而较彼尤笨，即制八十四笛是也。苟欲正音而又袭用今笛之构造与吹法必须此数。古帝制十二笛，其笨拙殊不见彻底，仅可奏十二宫，不能吹变调也。（欲吹变调须用对付之法，亦见宋志。）

假定今笛合字应黄钟，可准之制十二笛以奏十二宫，亦可以之制七笛，以奏一宫六调。试以笛六孔皆闭为合，开一孔为四，开二孔为一，此合四等字仅示指法不作宫商解释。合字原应黄钟者，今制新笛改应大吕以上十一律，即得十二宫正声笛。又以四字配太簇为宫，得太簇商笛，以一字配姑说为宫，得姑说角笛，其余四笛可推。共得一正声笛，亦变调笛也。变调之笛亦只可吹一个调，与正声笛同，惟其吹奏之法宛如今笛之翻调，特此讹彼正目。如有太簇商调焉，以黄钟宫笛翻奏，太簇为富，黄钟为闰，固不合也。今以新制太簇商富度之，改以大吕配闰，毫厘不爽矣。太簇商笛，与黄钟宫笛大吕宫笛咸不同，以表明之。亦不能多用低音倍律，如今之昆曲。何则？笛上尽是高音，若用低音字谱，几乎全曲须高吹低喉，而歌者病矣。是谱须用中部之声也。笛色翻高而谱不低，则事实上高亢矣。此可证明今笛之翻调与正是还宫不同，虽亦名为还宫，而其所用诸律，不田一笛之七声，与十二笛还宫得任用倍半律大不同也，十二笛之还宫广，而一笛之还宫狭，是必然也，以一笛还宫不准，仍须换笛，于是非有八十四笛不可矣，此种笨拙殆前无古人，不可施诸行用，书至此辄自笑也。

十二律还宫，名目上升一律，则事实上，亦升一律，如大吕宫视黄钟宫升一律是，某律为宫不动而变调，名目上升一音，则事实上，下一律或二律，如太簇商视太簇宫下一律，太簇角又视太簇商下二律是，如不避繁冗列一表，上书十二律名之三部，下分八十四格，列八十四调，则一览可明矣。

再与汪健君书[①]

兹就浅学所知分节约评江兄来函之论旨尚祈教之。

（一）"宫商云云中国所用，其地位一定。至于上尺工几等俗。字谱起于燕乐，其半音之地位可以移易，不可拘泥以上作宫或合作宫，而谓二变在一凡也。"——此点宜保留而研究之。

（二）江以今笛为合于理想之器而以歌谱为讹，如曰"非唱四合之间为半音，即不明六字调之歌法也"。——此似全非昨已定论，歌谱虽只七调却备十二律，而笛上只有七个律，其不备与不相合也甚明。如有一器，清浊略同今笛，而能调整半音。约得十二律一部之数，似西笛而备简，即可供吾人度曲之用矣。制作上其可乎？前云须八十四笛者，理想然耳。

---

① 原载1942年9月1日《万人文库》旬刊第二十四册。

（三）"严格言之，六字调谱，四合弓应为四下四弓。俗工为方便计，不用下四而用合耳。"——此方便实是不方便。明"四下四"，其间半音一望可知，今书四合因全音也，而半音则潜伏焉，何方便之有。此说之不可通者。

（四）"张炎之工尺谱，为绝对音阶，即以合四一勾等代替黄太姑蕤等律名"——此言不误，四之不能作合，即太簇之不能变为黄钟也。

（五）"今昆曲谱之工尺则为相对音阶与简谱之do、re、mi、fa等同意，习惯上用合字起音故由凡合四一勾尺工凡转读为合四一上尺工凡六此种读法实为从权。"——此言固甚明白，却似有问题，即由王光祈说，而添一转读说。王固未言，亦未必无此意也。王江二说变调绝非旋宫，江说多一转读，似与旋宫相混，江意殆本不混，观（一）可知，吾人自不之辨耳。一宫变作六调，所用之七个律完全不摸，王江二表均然。若旋宫则必须换律。江何以必须转读，弟不甚明，似即王之基音说也。是否以泰西比附华夏，抑燕乐中诚有之，今尚不能对，然有一点决然可知者，即与今之昆曲无关也。今曲只有一宫声，是为正声。（事实上或是下徵调，姑名之曰宫声正声耳。）将此声之七律旋相当为宫得六变调，其清浊部位仍与正声相当，却以半音关系备十二律，此即吾人口中之昆曲也，笛上只有七律，正声若准，则变调当然不准矣，全恃吹者之技巧以应付之。换言之，昆曲之七调，在人声是不完全（不备十二律旋言）不正式（虽系旋宫，而其清浊不变）之旋宫，在笛上除此"不完全""不正式"之外，加一"不准确"而已。此种旋宫，因其非正式，弟前函亦呼之为变调，却与王江所谓变调各不相干。王或者不大懂得昆曲，所以不说。其于东西乐制之研究页一一七上，以笛为准不言歌谱，其误与江同，均将今笛讹失之旋宫认为正确之变调也。江兄处处引证昆曲耳。

（六）"感以定情之寰区万里及书馆之叹双亲两段皆用小工调吹，神情必觉大异，此其故可以深思也。"——此真实感觉最可珍重，但安知其不为错觉，简言之，即习非成是耳。如将令笛讹失之变调悉校正之，反觉别扭，此良有之。如何解释，则另一问题也。

（七）将张炎《词源》之表加以推演自为创见，试引江表之一部而补充之，之一项弟所加。

正黄钟宫——合四一勾尺工凡六（绝对音阶）——正声

大石调——四一勾尺工凡六五（绝对音阶）——变调（不换律）

？——四一勾下工何凡五下五（绝对音阶）——旋宫（换律）

观此，知江所谓七调七式并非实有，不过将"正声"伸头缩脚而已。四合既绝为对者本不能互易，却将"四"字坐在"合"的原位，假使当作合字看，（所谓习惯上用合起音）则半音关系忽变，其实本未变也，上表自明，疑王说基音不过如此，江兄转读法王氏有知当即可欤。至于张炎厚说如何，不易明也。江曰，"弟之解释法张炎等必知之，"未敢以为信也。

以上就来函逐段评之，兹更综合贡献疑点：（1）七调七式之说虽西籍有之，但在华夏记载之明文未见其提示，用途如何亦不明也。（2）纵诚有七式，似不足尽宫调，而其言曰，"其中关键尽在半音地位之移易"，窃不能为疑。言调之为物如是不太单简乎？且今笛之七调俨然具宫调之全，事实上亦决无如是之凑巧也。（3）南曲虽名为无乙凡，却处处有半音，打破五音调七音调之传统说法。（4）若径作一式之小工调谱，诡异之甚而失和谐，不改宜也。今虽不改谱而曰以笛为正唱谱为非，则犹之乎翻谱也。（5）所谓韵味即声情也。依其说宫商以下各异，是韵味只有七种，配十二律得八十四调，只清浊之失无关韵味者也。此因自成一种说法，却显与下记不合。六宫十一调即有十七种之声情，并不曾言六宫只是一种韵味也。（6）伊虽引昆曲为例，却并不能解释昆曲，而曰："笛色与曲牌所隶省之宫调早已风马牛也。"故嗜昆曲者读之，殊不易领会也。原来从今昆曲之角度上以观古乐（包括清乐、燕乐、元曲）无有是处，反之以古乐之见于载记者附会今之俗乐，亦难得贯通，此本吾人畴昔一致之结论也。

一九四二年六月六日

谈《西厢记·哭宴》[①]

（一）

《西厢·哭宴》折，文词传播已广，而按拍者较稀，《纳书楹》虽有《西厢全谱》，今不易得。《长生殿·哭像》即拟此折，其叙李三郎之怨艾亦时有警策，然视《西厢》，恐尚隔一尘地。岂元人作曲之才实天纵之欤？抑文章亦有气运存欤？

若谓王实甫何尝不抄董解元，斯言也，以余观之，有不尽然者。王氏《西厢》有袭旧处，亦有独到语，一也；独到之美远胜于旧袭之美，二也；即其袭旧，仍时有独到之妙，三也。暖红室本董《西厢》下附有焦循《易余籥录》，将两书同处对比而断之曰："两相参玩，王之逊董远矣。"夫岂其然！

[①] 原载1943年《文学集刊》第一辑。

董曰"君不见满川红叶,尽是离人眼中血"(〔玉翼蝉〕下尾);王曰"晓来谁染霜林醉,总是离人泪"(〔端正好〕)。焦氏以为王不如董,曰:"泪与霜林,不及'血'字之贯矣。"其实,泪者,红泪,与霜林何尝不贯,只多一曲。直者固沉着,曲者亦蕴藉也。又如两本俱写秋景。董曰"雨儿乍歇,向晚风如凛冽"(〔玉翼蝉〕),"景萧萧,风淅淅,雨霏霏……雨停风息日平西,断肠何处唱《阳关》,执手临歧"(〔上西平缠令〕),是崔、张话别时,风雨已过矣。然其下于莺莺归后,张生独行又曰"滴流流的红叶,淅零零的微雨,率剌剌的西风"(〔风吹荷叶〕),莫非又下起雨来了么?于前后情事,叙述似欠分明。王作则晚晴可画,如"碧云天,黄花地","恨不得倩疏林挂住斜晖","落日山横翠","四围山色中,一鞭残照里",均不失为丽句,焦氏独盛推董氏写景之善,岂为公论?若曰词必己出始得为工耶,则王固病矣,董又安能独胜。此段首曲〔玉翼蝉〕即抄柳七语,如"那堪值暮秋时节","纵有千种风情,何处说"皆是也。夫同此秋景,一偏重于风雨,一偏重于夕阳,遂有萧索妩媚之殊。又董之结尾曰"休问离愁轻重,向个马儿上驼也驼不动",就张生言之;而王则曰"遍人间烦恼填胸臆,量这些大小车儿如何载得起",就莺莺言之,易马而车矣。凡此诸端不

谈《西厢记·哭宴》／143

必强分轩轾，而王受诸董，其实自不可没。如王之〔耍孩儿五煞〕，作意同董之〔越调错煞〕。王〔小梁州·么篇〕之"虽然久后成佳配，奈时间怎不悲啼"，即董〔恋香衾〕之"然终须相见，奈时下难捱"〔疑"然"上亦有一"虽"字〕。王之"暖溶溶玉醅，白泠泠似水，多半是相思泪"（〔朝天子〕），即董之"一盏酒里，白泠泠的滴殼半盏儿泪"（〔蓦山溪〕下尾）。王之"一个这壁，一个那壁，一递一声长吁气"（〔朝天子〕），即董之"一个止不定长吁，一个顿不开眉黛"（〔恋香衾〕）。（按：此折既由莺莺唱，当用莺莺口气，而弦索调本系叙述，今仍而未改，词气之间似不尽合。）亦有一字不易者，如"未饮心先醉"是。（董〔蓦山溪〕，王〔耍孩儿〕。）亦有董出力描写，重复地说，而王只淡淡一点者，如"车儿投东，马儿向西"（〔四边静〕），王只有这八个字，而董则曰"头西下控着马，东向驭坐车儿"（〔蓦山溪〕）；又说"马儿登程，坐车儿归舍；马儿往西行，坐车儿往东拽：两口儿一步儿离得远如一步也"（〔出队子〕下尾）。此曲朴质可爱，最是古调，王却轻轻地闪开了。有人在此赞美王作以为胜董，王伯良校注《西厢记》〔四边静〕下注曰：

董词"头西下控着马,东向驭坐车儿",较拙,又"马儿向西行,车儿往东拽",故不如"车儿投东,马儿向西",语简而俊也。

其说谓王之胜董者二焉。(一)董拙而王俊;(二)董繁(复)而王简。斯则然矣,然读古人文词贵在大处着眼,识曲听真,不得以后世文章家法尺寸绳之。曲之有金、元,犹文之有先汉也,拙与复,每不可及也。后贤述造,清明美或度前贤,而厚意终减,固知嗜好出酸碱之外,真赏不在骊黄之间,不可以一概论也。即曰拙也、复也是病,然瑕瑜不妨互见,万里黄河挟泥沙而俱下,诗古文辞皆有此境,于曲则曰当行,最为吃紧。昧于此,则读曲时——尤其是元以前之曲,格格不入者多矣。

(二)

《西厢记》版本至多,又明人喜改古书,其所谓古本多出于自造,复从而赞美之,于他人之本则极口诋諆之。此当时风尚为然,不独圣叹,惟圣叹最famous,亦最notorious。此圣叹之幸,亦《西厢》之幸,此圣叹之不幸,亦即《西厢》之不幸也。兹不堪一一较其短长，依用传唱之本，与暖红室刊行之凌濛初鉴定所谓"王实甫正本"相差不多。

〔滚绣球〕"恨相见得迟，怨归去得疾"。王伯良校注本作"恨相见的迟，怨别去的疾"，"别"字平声。注曰："徐本'怨别去的疾'，诸本作'归去'，似'别'字胜。"各本既均作"归去"，则"别"字殆系后人所改。改者用意未明，殆不为声音，以在此合用平声字，"别"虽可作平而"归"字本平，无缘改字，改字之故，当在意思上。王注"似'别'字胜"，亦就意思上立言。"归"字似难解，然正以作"归去"者为佳耳。

六才子作"恨成就得迟，怨分去得疾"，"分去"犹"别去"也，已点金成铁矣，况并上文而改之。"恨相见得迟"，相识恨晚之谓。茫茫宙合，何地逢君，真才子佳人之第一恨也。亦既见止，亦既觏止，宜心降而说矣，犹若不无憾于相见之晚者，此无理之嗟，无餍之求，而不外人情，此其所以妙也。今曰："恨成就得迟"，非恶札乎？

以"分""别"易"归"字均误，作"别"于歌喉且不甚惬，其不喜通常而甚自然之"归"字者，意固不可知，试臆测之，岂以为据鞍上马，士多行役之嗟，执手牵衣，女作望夫之石，蒲东萧寺，女之家即生之家也，更何"归"之有？绣被留香，女之室且为生之室矣，又何"归"之有？长亭送别而曰"归"哉，于生非宜，而况于女。今曲子莺唱，白亦莺道，而以此去为"归去"，则弥远于人情矣。且下文有"想着俺前暮私情，昨夜成亲，今日别离"，今日之妾身亦既分明矣，何谦让未遑耶？莺为生之"家里"，则生之去不得为"归去"；若生此去仍为"归"也，则莺未成生之"家里"可知，不两立之说也。下文更有"我这里青鸾有信频须寄，你却休金榜无名誓不归"，以"归"字犯"归"字，其不两立尤为明显也。来亦曰"归"，去亦曰"归"，似欠分明，则后人之贡疑致惑以至于改字，谁曰不宜。

虽然，改字实误。词曲短书，称为小道，实有别才，固不当以文家之律衡之。又古人遣词不论何种体制，神理是尚，更不当以今日文法学家眼光观之。夫以貌取，以文律纠绳一切，则不但里巷诸短书不可卒读，即先秦、两汉之书又何尝尽可读耶？曲文于张生之上京曰"归"，于莺莺之返自长亭曰"归"（"笑吟吟一处来，哭啼啼独自归，归家若到罗帏里。"），于张生他日之重来亦曰"归"，三"归"字下得好糊涂，却又似不甚糊涂，或好在糊涂，良无所容心焉。夫以行云流水之态临文，而以刻舟胶柱之法读之，吾未见其如何能有合也。崔、张邂逅，相值萍踪，萧寺受釐，同为逆旅，生昔日之来也,既有所自,则今日之去也,必有所归,不过常言,并无谬巧,记者固止于文从词顺,即试问个中人心事,莺莺小姐又何必校正此一字始为得计乎?后之人先以求深而反惑,复以不解而妄改,拘文牵义,良为累矣。

"别"字读来撇扭,作"分"于意尤非。"相见"者双方,"迟"为可恨,"归去"者片面,"疾"可怨也。生之上京赶考,以人事言原非得已,以离别情言无乃得已而不已乎,女心伤悲,故曰怨也。若今言"分去","分"者两面之词也,闺中人未免稍冤,征夫远涉,思妇何往乎?

若以劳燕东西为"分"字之注脚,下文固有"伯劳东去燕西飞"也。似矣,而实不然。当其已在长亭,临歧判袂,行者自行,居者自归,喻以劳燕,虽似滥调,亦词之宜也。若犹未至长亭也,则生固将离女而他适,女实无所往也,亦无行动之可言也,引以为喻,则失之矣。作者于此固未尝引劳燕作喻也,安得曰"分去"乎,又安得引后文之喻以成前者分去之说乎?

立言已繁,终无警策,拘文牵义之咎,刻舟胶柱之诮,自己恐弗免矣,然"归去"云云最为自然,又各本同之,当近原文,识者固不待仆之觙缕而后知之也。

续谈《西厢记·哭宴》①

"恨不得倩疏林挂住斜晖",暖红室本无"得"字。金本作"倩疏林你与我挂住斜晖",损上益下,赞之曰:"你与我,你字妙,杜诗……皆此等字法也。"自赞是圣叹老脾气,不足奇,然窃谓圣叹生平论文,即为此等字法、此等杜诗所误。夫疏林自疏林,斜晖自斜晖,疏林之偶挂斜晖者原系常境,《清真词·氐州第一》"官柳萧疏,甚尚挂、微微残照"是也。此从彼脱胎,添一"住"字意稍不同。叫疏林去挂住那斜晖,本没甚情理,没甚把握,所以说"恨不得",犹云长绳系白日,反话又是极话也。妙在实者虚之,语悖而情谐也。清真于"尚挂"之上安一"甚"字,亦化实以虚也。今删此三字,便坐实了。金曰:"前日即此日也,曾要教贤圣打,今日

---

① 原载1944年《文学集刊》第二集。

亦即此日也，却要叫疏林挂，嗟乎为汝曰者不亦难乎！"以下则引吴歌而发挥之，结以："何独怪于双文乎？"谁怪伊来，恁自在怪伊没。此种兴到率意之笔，易堕入油滑伧荒。至其所加之"你与我"三字，口吻颇灵妙，而彼已自赞，不复赘云。

"马儿迍迍的行，车儿快快的随"。王本迍迍作运运，校注曰：

> "运运"音"陨陨"，缓行之意，北人乡语也，亦见字书。张生之马有逡巡留恋之意，故曰"运运"。莺莺之车有倥偬趱逐之意，故曰"快快"。旧诸本或作"逆逆"，或作"迍迍"，或作"慢慢"；下"快快"或作"怏怏"，或作"慢慢"。"逆逆"语既不通，"迍"字本音平声，"慢慢"复伤俚鄙。上既云"运运"，则下当以"快快"为对。盖"逆逆""迍迍""怏怏"皆字形相近之误。今直改正。

似当作"运运"矣。然玩"今直改正"，实出伯良手笔耳，非《西厢》之旧也。暖红本眉评曰：

> "迍迍"即马迟人意懒也。旧本有作"逆逆"者，要

> 亦不过迟意，徐从之而解曰："不向前途去而倒走回。"
> 夫倒走回亦止一霎耳，岂不烦牵转而竟行耶，于义不通。
> 然"迍"字平声，调不合。王直改"运运"，未经见，不
> 敢从。非"逆逆"字即"逗逗"，字形误耳。

其不敢从王，是也，却未断言该作什么，"要亦不过迟意"，笼统之词。按"逆逆"等字未安，"迍迍""运运"有平上之别。"迍迍"似难解，复云于调不宜平，故改为"运"字。故改字之是否，当以"迍迍"在意义上音调上合否为断。先言音调。

〔滚绣球〕自第五句再复用上四句，故名"滚"。"马儿迍迍的行，车儿快快的随"，即上文"恨相见得迟，怨归去得疾"也。作六字句者，中均有衬字，昔人沿惯例按文义以两"的"字为衬，律宜仄仄平者，今作"迍迍行"则平平平矣，故曰调不合。然北曲找出衬字不易，两"的"字之为衬字，非定论也。

先列两五字句之平仄如下：

　　平　平
　　　平　仄平。

仄　仄

即诗中一三不讲，二四分明是。若依旧释：

> 马儿迍迍（的）行，车儿快快（的）随。（黑点示不合处，括弧中乃衬字。）

若不以"的"字为衬，当为：

> 马儿迍（迍）的行，车儿快（快）的随。

于律合矣，文义似怪异，不如前式之妥贴。吾说未可取信于人，然差堪自信，请申言之。

何以怪异？无非叠字例不可析，今以其下一字为衬故。然在元曲，此等怪异之例正多，原无庸惊怪者，即如本折下文〔叨叨令〕首句"见安排着车儿、马儿，不由人熬熬煎煎的气"，其衬字当云何也？吴瞿安师曰："〔叨叨令〕通首七字句，有两格，其一加衬极多，如此句实即'安排车马熬煎气'耳。"师说纵非定论，然不如此析出更将云何？反正这七个字的文理不会得很通的。"马儿迍的行"固不通，"安排车马熬煎气"又何尝通?"安排车马熬煎气"不通,在彼文十七字中选出七字能通乎抑仍否乎?曲子中分析衬字以声音为准,不当局于文字之迹也。以文字言曲,难矣。虽今之曲非古之曲也,今之旁谱非元人之旧也,以声音言,亦未始不难,惟视专以文字言者多少得进一步,多一种参考资料,此或未可非欤。

今试以叠字之第二字为衬,而以第一句与第五句,第二句与第六句之工谱比较列下:

恨五相六凡见工得四尺迟工…………………一句
马四尺儿工迍尺(迍尺)的四尺行……………五句
怨伬归仩乙去五得六凡工六疾五……………二句
车伬儿仩乙五快五仩(快五)的六凡工六随五…六句

腔格同符,犹饶古意。若以两"的"字作衬,则主要腔格差错,与〔滚绣球〕之体格不合矣。后人见"的"例为语助,漫以为衬耳,非有真知明辨焉,故曰非定论也。

此说既立,"迍"与律合,则无改字之必要,亦无须从王伯良本矣。兹更审"迍迍"之意义。"迍"字从"屯",本作"屯"。"屯"字训难,加"辵"为行,字一作"迍"。《易·屯卦》六二:"屯如邅如,乘马班如。"《经典释文》引马融曰："行难不进之貌。"《周易集解》引虞翻曰："屯邅盘桓谓初也。"夫既与马连文，而训行难又与盘桓谊近，与此正合。惟"迍迍"叠用，未知所出，读者疑焉。然《易》云"屯如邅如"，不言"屯邅"。《子夏传》云："如，词也。"是"屯如邅如"可并读为"屯邅"。而亦得独用，以兼言而意始备耳。《集解》引荀爽曰："阳动而近，故屯如也。阴乘于阳，故邅如也。"是其证也。"屯屯"或"迍迍"叠用，纵非别有所受，初未乖雅训。如《屯卦》上六："泣血涟如。""涟涟"是最普通的用法。"涟如"得作"涟涟"，则"屯如"之作"屯屯"或"迍迍"，其无庸改字明矣。

以字音言，《广韵》有陟纶、徒浑二切，"屯"字之训难者，今读陟纶，其"屯聚"之"屯"则徒浑切，是后来所分，非其夙也。"迍"，亦如是二音，除"迍邅"外却无别义。"屯"之训难者例读陟纶切，"迍迍"义为难之引申，音当同之，此通例也。然古无舌上音。信然，则陟纶、株伦（《集韵》）之音，即徒浑之转，《屯卦》之"屯如"读如"屯"，实非读别，而"迍迍"之"迍"读如豚音，亦无不可也。况"屯"有二义（至少），分隶两音较密，毋庸是古非今。"迍"则一义二音，可任意读，亦毋须依"屯"字分读之法。若谓"迍邅""迍迍"之"迍"，皆必读陟纶、株伦之切而后可，则徒浑一切，更安用之？

一义二音可任意读，粗言之耳。析言之，则"迍"字虽无二义，却有两个用法：一双声字"迍邅"，一叠字"迍迍"。窃谓用作"迍邅"者，今只可读舌上音，而用作"迍迍"者，二音均可，于此若读如豚音当尤佳耳。试详其故。

迍邅知母双声，邅张连切，今无读舌音者，若"迍"读如"豚"，则不调矣，以陟纶切"迍"，所以宜于"迍邅"也。"迍迍"叠字，无论其为舌头或舌上固无不调。以曲文言，马行迍迍者，远同雅训，近取恒言，于义为行难，音则象踯躅踠地，迟重之声也。胡戎里巷之歌，负鼓盲翁之唱，若径取自经训雅言，陈义实为过高，惟其兼采俗语，斯为当行矣。再率意揣之，只直记时，其同雅训仅系偶合，良未可知也。

"迍迍"有作"慢慢"者，而王伯良云，下"快快"或"慢慢"。夫"迍迍"之作"慢慢"，一意之引申，行难、行迟非有二义。若"快快"作"慢慢"，大相反矣，殆必有一误。虽然，难言之矣。旧诸本未得见，下句作"慢慢"似不如作"快快"之意醒，然未必不通。譬如说"马儿迍迍行，车儿慢慢随"，则二子均迟迟我行耳。而马之行迟，甚于车之行迟者自若。盖"慢慢""快快"，字面相反也，而用入章句以会

续谈《西厢记·哭宴》／155

文情，其意初不相反。言马迟车速者比较之词，而车马俱迟者，人意同懒也。《清真词》："花骢会意，纵扬鞭、亦自行迟。"曲文写景仿佛《夜飞鹊》，另详后。扬鞭，疾也。丽行迟者自若，是"快快"即"慢慢"也。随行者车，虽徐必稍急于马始可及，是"慢慢"即"快快"也。"慢慢随"与"快快随"，只是字面之反，非意义之反，作"快快"者，意较醒豁，作"慢慢"者，词较浑融，依文讽诵，互有短长，故曰难言也。

下句作"慢慢"之为行迟，义也，若上句"迍迍"之为行迟亦义，则二者悉同，仅字面有别耳。今谓"迍迍"象音，而意即寓焉，是意虽同而其所以取意者不尽同也。不然"马儿慢慢行，车儿慢慢随"，亦可矣，何必"迍迍"哉。"迍"音如豚，盖"迪追"者，状马足踠地之音，兼取"迍迍难进"之义，虽属鄙言，不违雅训，且曲文莺唱，由双文耳中听郎马之声有若是慢慢者，斯可谓语妙矣。

圣叹径改作"马儿慢慢行，车儿快快随"，是否点金成铁姑不具论，其说则曰："于是车在马右，马在车左，男左女右，比肩并坐，疏林挂日，更不复夜，千秋万岁，永在长亭。"话头奇妙，却与文情不会。圣叹曰："不知作者如何写出也。"试效其语曰："不知圣叹如何写出来也。"

按此两句实从古诗"府吏马在前,新妇车在后,隐隐何甸甸,俱会大道口"脱化,其比肩欤,抑倡随欤,在依稀恍惚间,原不必说杀,事实上亦不能说杀。马本在前,徐行则稍后矣,车本在后,疾行则稍前矣,不能说杀者以此,于是有比肩之说。然而比肩诚比肩矣,其为倡随也自若,诗文明言"府吏马在前,新妇车在后",曲文亦明说"车儿快快随"(或"慢慢随")下一"随"字,在后可知。是先后倡随是本意,而比肩者引申推衍之何义也。圣叹逞其臆说,必坐实此依稀恍惚者,遂易畴昔之倡随为今日之比肩人影,而曰"男左女右,比肩并坐"。此"左右"字,此"坐"字,真不知圣叹从何处想出来。

词曲首重当行,非必有甚深之寓意而美妙恰在个中,所以为佳。圣叹每求之天涯而失之眉睫,此好奇之过也,又于词曲未必当行,复旁通禅理,区区时空方视同已陈之迹,敝屣之若不遑,更何堪锁其骥足,于是分明一瞬光阴,竟作千秋之想,所谓小题大作,去之愈远者也。若谓知长亭送别之演出需时几刻,则直孩提之不若,有是理乎!明知故犯,文人狡狯,良不足为圣叹病。虽然,是非作者之言也。作者既无此意,自无其言,而神情往往得之言外。评家惯引申其言外意,职固宜然,有时坐实了他,轻重却未免失当,善读者当勿以辞害意也。谓金圣叹之见地高于王实甫犹可,谓圣叹之言合于王实甫必不可也,一曰:"厮守得一时半刻"(见本曲下文)。一曰:"千秋万岁,永在长亭。"合也?否也?必有能辨之者。

谈《琵琶记》①

我对《琵琶记》没有研究，只是有些爱好。我一向觉得讨论《琵琶记》是比较复杂的，比如《琵琶记》本身的主要题思想是有矛盾的，有的说它是反封建的，也有人说它是宣扬封建的。又如它结尾的是大团圆，但又是悲剧。又如从《琵琶记》发展上看，它不是一个整体，过去有宋、元的旧本，而旧本究竟怎样我们没有见过，所以就这点讲《琵琶记》不是完整的东西，我们不知道哪部分是高则诚创造的，哪部分是原有的。因此对里面不一致的地方，也不知道是一个本子的毛病，还是两个本子的矛盾。好的东西究竟是谁创造的无法说明。这是讨论《琵琶记》困难的地方。现在只能就高则诚的《琵琶记》来谈谈。（当然，其他的旧东西也可做参考。）我喜欢昆曲，昆

---

① 原载1956年8月25日《光明日报》。

曲里有《琵琶记》，对它有些主观的爱好，谈论的出发点可能很不正确，希望同志们指教。

第一，《琵琶记》这个戏曲究竟是反封建的，还是宣扬封建的。我认为这个问题首先应该解决。从表面上来看，《琵琶记》从头到尾充满了封建的东西，但单从这方面看是不能解决问题的，而且也不能解决过去的本子好或现在本子好的问题。比如过去的本子是写不忠不孝的蔡伯喈最后遭到雷击，现在成为全忠全孝的蔡伯喈而"一门旌表"，"雷劈"也好，"一门旌表"也好，都是代表封建性的，所以从这方面看是不能得出结论的。

我们要从实际方面来看，它的实际内容是些什么？就是主要人物的遭遇——在封建制度下的社会里的遭遇。对于蔡伯喈、赵五娘和牛氏这三个人，我们还是很羡慕呢，还是感觉他们很不幸，这是作者的倾向性所在，我认为这是最现实的。你不管他表面上写什么，"全忠全孝"也好，"一门旌表"也好，在这里我们看得很明白，无论蔡伯喈、赵五娘或是牛氏都是封建社会下的牺牲者。我们看了《琵琶记》，决不会羡慕他们，而是同情他们。《琵琶记》虽然结尾有一个大团圆，但全面充满了悲剧的气氛，是很凄惨的。关于"一门旌表"在昆曲里就没有看到演过，只演到"书馆"为止。"书馆悲逢"也是团圆,可是三个人碰在一起大哭大闹,凄惨万分。"书馆悲逢"的最后"只为三不从,生出这祸苗",我认为这是《琵琶记》的作者用"三不从"来控诉封建统治者,是很有力量的。一不从父亲逼试;二不从辞官不准;三不从丞相逼婚。不管怎么说,皇帝不知道他家里有妻子,或者可以原谅他,反正《琵琶记》指摘了"三不从"是祸苗。这里可以看出《琵琶记》对封建道德有些揭露的。不管高则诚脑子里的主观想法如何,不管《琵琶记》是宣扬封建的说法,不管朱元璋爱看不爱看,但它的全忠全孝的表面文章,不能改变读者几百年来对他的看法。

第二,《琵琶记》的主题思想是什么?我认为光说是"三不从"还是笼统的。《琵琶记》提出"三不从"只是一个招牌,我认为主要的是婚姻问题,辞婚不从,另外两个"不从"只是陪衬。这里大略谈谈《琵琶记》的历史。不管是宋、元的民间传说,不管是"雷打蔡伯喈"这样写法,或者是现在这样写法,总之蔡伯喈的不好都是因为他的重婚再妻。我认为这是典型的。古人有所谓"糟糠之妻不下堂",而事实上在那时候是"糟糠之妻常下堂"的。在旧本中蔡伯喈根本没有辞婚,昆曲"辞朝"的唱词中,蔡也没有提出有妻不愿再婚。昆曲的《琵琶记》《荆钗记》都是好戏,我认为它们精断的地方,是表现了封建制度下农村里面最现实的一个问题，就是"富贵易妻"。丈夫做了官，就想娶一个相府小姐或者侯门千金。他如果抱守家里的黄脸婆，就不容易出了头。有很多戏曲，都尖锐地揭发了这方面的斗争。我们不从作者提倡封建道德来看，或者从他想调和矛盾这方面来看，事实说明作者的主观企图，已经被他笔下所反映出来的客观事物所突破。

第三，《琵琶记》作者高则诚和作品的关系是很难定的，前面说过，我们不知道哪些东西是原有的，哪些东西是高则诚的，好的是谁的，坏的又是谁的；但有一点可以知道，我们看高则诚写得好不好，应该着重蔡伯喈这个人物，要批评高则诚改编的价值，可以从蔡伯喈来看，因为蔡伯喈这个人物形象完全是高则诚改的。其次，牛氏也可以在内，因为这个人物也是高则诚创造的。旧知识分子在婚姻问题上有三种类型：第一种像秦香莲、陈世美这样，是完全否定的；第二种，如《荆钗记》王十朋那样，坚决不负糟糠；第三种就是《琵琶记》的蔡伯喈。我认为这三种类型在旧知识分子中都是有的，高则诚写蔡伯喈，据我看还是相当成功的。"三不从"的说法，应该是新本里所独有的。"三不从"说明了蔡伯喈的负心是封建制度造成的，所以如果说"三不从"是无头公案也不对。它是有头的，封建制度就是头。写蔡伯喈矛盾、动摇、徘徊是很真实的。如"琴诉荷池"蔡伯喈跟牛氏说："俺只弹得旧弦惯，这是新弦俺弹不惯。"牛氏问："旧弦在哪里？"蔡伯喈说："旧弦撇下多时了。"牛氏问："为什么撇了？"蔡说："只为有了这新弦，便撇了那旧弦。"牛氏问旧弦如何，蔡说："我心里岂不想那旧弦，只是新弦又撇不下。"像这样描写脆弱的知识分子的心理是细致的。这样的知识分子得了富贵因而负心，丢掉父母妻子，但另外一方面良心还经常责备自己，感觉到不安。所以我认为在陈世美、王十朋以外，还可以有蔡伯喈这样类型的人物。

因为写了这样的蔡伯喈，所以附带的出来一个牛小姐。相府千金是否根本不能容纳赵五娘，是否一定要写得像《秦香莲》里的皇姑那样，我看这样肯定，未免简单化了。就是封建的贵族妇女，也有各种不同的性格和类型。我们不能把牛小姐的性格和行为固定在她的身份上。有人说牛氏写得不生动、不活泼，我认为牛氏写得不能算失败。她是受封建礼教压迫麻醉很重的，古代妇女中这种人很多。高则诚在这方面写得很细致，比如第三出"牛氏规奴"，他写出了小姐所受的压迫比丫头还重，丫头还有一些自由空气，还有一些浪漫思想，当小姐的就一点没有，好像完全成了一个傀儡。照说牛氏已经很"不错"了，可是到第六出"丞相教女"，我们看到丞相还要埋怨她,说什么:"你杏脸桃腮,当有松筠节操,蕙兰襟怀。闺中言语,不出阃闱之外。"实际上这一些,牛氏在"规奴"里早已对丫头说了,她是很懂得这些的,可是牛相还要再三教诫她。所以这个人物就要写得一点斗争性都没有,像幽灵木偶一样才真实,何况就是这样,她也不是没有内心苦闷的。作者在这里是有意要把牛氏抬高,有意要把她的封建道德写得很好,和赵五娘形成对抗。但无意中就把封建礼教摧残人性的毒害揭露出来了。蔡伯喈、牛氏这两个人物,应该都是新本里才有的。旧本也许没有牛氏,如果有的话,也可能是像《秦香莲》的皇姑一样。我认为这两个人物是写得相当成功的,而这两个人物的写得好坏,是衡量高明修改《琵琶记》好坏的关键。

我看《琵琶记》

首先肯定《琵琶记》有如下两大优点：

1.文词之美——开场仅四角色（蔡公、蔡婆、伯喈、五娘），感情各有不同，文词非常优美。文词中最美的如蔡之《辞朝》《思乡》、赵之《剪发卖发》《吃糠》等折。

2.音律之美——各折中曲子非常合乎音律，是标准的昆曲。如《南浦》《赏秋》《书馆》，音律谐和，且文词通俗自然。相传《琵琶记》是魏良辅点板，故《琵琶记》实为昆曲之祖。

但也有以下缺点：

1.宣扬封建道德——所谓"不关风化体，总好也徒然"。蔡公、蔡婆固然封建，牛小姐很"道学"，《规奴》一折现在看来，十分别扭。最后"一门旌表"，不如《西厢记》《牡丹亭》。

2.不合情理——东汉时洛阳离陈留并非"万里关山",蔡既大魁天下,父母不可能饿死。牛相不让接家眷,难道状元竟不能派人探母?《盘夫》对白实是些费话,"剪发卖发"又何能葬双亲?诸如此类,情节漏洞颇多。

虽有缺点,但《琵琶记》仍是可以肯定的一本传奇。虽宣扬封建道德,但赞美善良人民。人们同情赵五娘,她与蔡团圆后,尚有一牛小姐在,赵五娘能够牺牲自己,以成互让局面。情节虽不十分合理,但反映了现实情况,如官吏之贪污、考试官之糊涂,又如婚姻制度之不合理。在封建社会,男子得中后,大多"糟糠之妻每下堂",如《西厢》之张生、《紫钗记》之李益,均为负心郎。贫贱之士,一旦得第,欲望上爬,便找一个阔丈人作为进身之阶,这不只是恋爱问题,而是政治问题。

关于戏剧反映再娶有三种方式:(一)变心——如《秦香莲》《王魁负桂英》;(二)不变心——如《荆钗记》之王十朋;(三)半变不变——即《琵琶记》之蔡伯喈。从历史角度看,蔡附董卓,本为否定人物,有"身后是非谁管得,满村争唱蔡中郎","马踹赵五娘,雷劈蔡伯喈"。可能旧本如此结局观众不爱看,高明根据旧本改成现在的本子。改后情节自有支离矛盾处,但整体改得好。其中赵五娘改动得大概最少,因旧本上赵性格已够完整。可能后半部赵的性格改得软弱一些。蔡被改得较多，由坏人改成好人，由"三不孝"改为"三不从"（辞考、辞官、辞婚），但亦有动摇性。牛小姐大改特改，大约是高氏创造的人物贤良过分，曾说"公死为奴，婆死为奴"。高明《琵琶记》对吃苦的人赞美，对吃亏的人亦赞美。因古本另是一种写法、一种结局，所以今本有时无法弥补缺点，但还是改得成功的，所得者多，所失者少。戏改是必要的。

据1962年11月15日发言记录整理

校订《西游记·胖姑》折书后 ①

元人吴昌龄《西游记》杂剧,六本二十四折,是伟大的作品。其中第六折《村姑演说》,俗称《胖姑》,在舞台上很流行。这一折和全剧主要的唐僧取经故事并不相连,乃是乡下两个小孩去看"诏饯西行"(第五折)这场热闹,回来告诉他爷爷听。也正因为这样,间接反映了作者一部分的看法,很为突出。我因北京昆曲研究社排演此剧,曾对现在通行本的文字作了一些校订,这里略谈一谈校订的大概情况和校后的感想。

校订的情形约有下列数种,举例以明之:

(一)须增补的。——如一般的昆曲谱(《集成》《与众》)中这个乡下老儿无姓无名,只说"长安城外一个老实头儿便是"。即使他以"老实头"为名,为什么没有姓呢?他应

---

① 原载1961年1月《戏剧报》第一、二期。

该有姓，原本作"老张祖在长安城外住，生是个老实的傍城庄家"。工师传钞本定场白有"老汉姓张"，与原本合，自当据增。

（二）须删的。——如〔川拨棹〕曲"妆着一个鬼人多我也看不仔细"，似乎应在"鬼"字下安逗号。实际上"鬼人"连文，言装着鬼的人很多，原作"妆着鬼人多，我看不仔细。"当据删"一个"两字，在"多"字下安逗号。

（三）以文字错误影响句逗须改的。——上文是增字而影响句逗，这里是错字而影响句逗。如同曲，今本作"舞着面旌旗忽剌剌口儿里不知他说个甚的"，很不好断句。"忽剌剌"似乎是舞动旌旗的形容语，但应当说"忽剌剌舞着面旌旗"，不当说"舞着面旌旗忽剌剌"，所以属上不行。如连下读，变为"忽剌剌口儿里不知他说个甚的"，句法虽顺，意义不合，听不懂话，为什么用"忽剌剌"来形容呢？原作"阿剌剌"，仿佛俗语所谓"吉力刮辣"，当据改。

（四）文字虽亦通而原本较好可改从的。——如〔雁儿落〕曲，今本作："见一个粉搽的白面皮，横拴着油鬏髻。"似亦可通，但原本"横"作"红"。以北曲唱法，"横""红"同音，因而致误。油鬏髻用红头绳系着与粉搽的白面皮相映，作"红"字为佳，当从之。

（五）有些关于名物须点明的。——如上所云"白面皮，红拴着油鬏髻"，他又是个什么行当呢？我们不大明白。原本有"这是做院本的"一句界白，我觉得很好，可以窥见当时打院本的光景，当据增。又如原本有张老头儿给小孩们吃"合落儿"，这是北方的食品，现在还有。今昆曲谱多作"粉花"，反而不大明白了。〔收江南〕曲文中又有"籿子面合落儿带葱虀"，写北方乡间食品也很形象化，以改动曲文太多，习唱已久，不便改，故未用。

以上不过举了些例子，还有其他的情况未及详引。下边再谈一谈个人的感想。自大曲、诸宫调，而南、北曲，而弦索、水磨调，而今日之昆腔，移宫换羽，不知几历沧桑；而乐府传声，一脉绵绵，未尝没有相通之处，仿佛藕断丝连的状态。前辈艺人，口耳相传，并不专靠书本，固然有些地方不免墨守陈规，而先正典型亦得藉以传留。所以工师的传钞本，字迹即使讹错满目，而字音大致不远，不以形求而以音求，往往十得八九，在校改此剧常碰到这样情况。这是一点。其次，我对于这出戏，大体根据《古本戏曲丛刊》日本传来的原本校正了，却也不曾逐字的照改。以戏曲文字贵乎通俗，有些地方尽可并存，后人加工亦有好的地方，无需硬改。其另一种情形，原本也未必每个字都对。各种书籍的"善本""古本"都有这样的情形，而通俗文学如小说、戏曲尤其如此。因之，用严格的校勘方法去改，也有行不通的地方。

我还觉得原作思想性很高，仅作为小儿玩耍戏来唱演、来认识是不够的。乡下小孩对于京城里官僚们这些把戏虽然不懂，但是他们看了热闹，并没有十分欣羡赞美，相反的却有批评。如〔一纲儿麻〕曲，把大和尚头比作一个大擂椎（大木头），擂椎上天生的有眉眼，想象很特别；又比作瓠子头、葫芦蒂，也很不客气。又唱道："这个人儿也忒煞跷蹊……枉被那旁人笑耻。"原本胖姑儿还有句道白："甚么唐僧唐僧，早是不和爷爷去看哩，枉了这遭。"说这次走出去看热闹是上了当，意思更为明白。又如〔乔牌儿〕曲，对于朝笏，叫他"白木植"；对于金镶玉带，叫他"白石头黄铜片"；对于穿皂朝靴的，更妙，叫他"一双脚踏在墨罾里"。这好像只在描写乡下小孩们的无知识和没见过世面，实际上表示作者的思想认识、藐视富贵的精神。〔新水令〕曲，对官人们卑躬屈膝的描写，如"腰屈共头低，吃得个醉醺醺脑门着地"，也是讽刺的。下文又说："见几个无知，叫一会，闹一会。"描写观场的闲人起哄，不曾恭维，显然可见。

有些地方表现了阶级意识。如〔梅花酒〕曲："他坐着吃堂食，我立着看筵席。"〔收江南〕曲："正是坐而不觉立而饥，去时乘兴转时迟。"结尾处胖姑儿更有一句道白："看了一日，误了我生活也。"这比现在的《与众曲谱》中付白"进去吃些，再去玩耍罢"，要好得多。

以上这些，都可以看出原本能够表现乡村人民爱劳动、不羡慕富贵的真精神。上文表过，这一折和唐僧西天取经的故事不相干，只是题外闲文。正因为闲篇，才格外的重要。换句话说，这插笔书，是作者用旁观的眼光来作评论的，不过借了村姑口中敷演一番罢了，所以题作《村姑演说》。

或者有人认为说西游故事而否定了唐僧，不大妥当。当然，《西游记》作者不会菲薄唐三藏的。不过像本折的写法，主要的在于讽刺、藐视封建统治者和官僚们，这里的唐僧作为国师、法师的身份，已属于最高统治阶级，而非一般的高僧、苦行僧之比。古代小说、戏曲，对于现实的批判，每借了暴露世态、摹拟物情而曲折传达，故多弦外微音。东鳞西爪，读者不当以辞害意。这种闪着思想性的光芒，是很可宝贵的。在古代作品里，自不会太多，却也不必太少，所谓"披沙拣金，往往见宝"，但亦不当穿凿附会以求之。

一九六〇年五月初稿，一九六一年一月改作

第三辑 《牡丹亭》

《牡丹亭》赞[①]

情生文欤？文生情欤？吾不得而知之矣，吾得而见之矣。安见之？见之于《牡丹亭》也。夫玉茗堂天下之才也，以天下之才遇绝代之文，以绝代之文写惊人之艳，以惊人之艳遘至情之子，是文生情也。然而春花秋月，郁起无名，不得此一段至诚无奈之情，回肠而荡气；文章之形安从而定哉，又情先而文后也。吾不得而知之矣，吾见之矣。见之易，知之难也。而见岂易哉？见非易也，得见斯易。所谓缘也耶？自来评《牡丹亭》者辄啾啾唧唧作村妇口气，令人以叱咤为快。今有至情至文于此，将与天下后世以共见，而天吝其遇乃尔，何哉？是又不独知之为难矣。窃观于文则有盲左；于辞赋则有三闾；于诗

[①] 本文前言部分，原载1934年1月13日天津《大公报》；第一、二部分原载1934年4月《东方杂志》第三十一卷第七期；第三部分原载1935年《武大文史哲季刊》第四卷第三期。

则有彭泽，则有杜陵；于词则有清真。此数子者所拳拳服膺，乃文章百代之师，旷世而一见者也。而《牡丹亭》出，竟以荒远梦幻之事，俚俗俳优之语，一举而遂掩前古，盖其幽微灵秀，姚冶空濛，自成一家，独有千古，不特昔人履齿所未尝到，即后之人亦难仿其颦眉也。夫曲，晚近之作，小道也，得《牡丹亭》而与诗、古文辞抗颜接席，登临纵目，指点青螺，下视《西厢》薄矣，元人诸曲伧矣，《琵琶》拙矣，其他纷纷造作，皆等诸自郐，直舆台耳，乌足数哉，乌足数哉！吾谓《牡丹亭》非他，盖直接《诗》三百之法乳者也，"思无邪"之一化身也，是圣贤之心肠也，是豪杰之血气也，是才子之才、佳人之佳，兼此二者之无奈之情也，是能将闺门风雅，情性之本原，宛转曲折而书之，缠绵低徊而度之，明目张胆地而扮演之者也。宁非天下之才耶？非天下之奇才而能如此耶？观其自序云云，刺绣金针，不啻已和盘托出，而后贤仍复虚费言词，不关痛痒，无乃有负作者之心乎？故奋笔起而赞之，夫岂不知《牡丹亭》本不必赞，赞亦不可胜赞耶！读之可耳。余读之数十遍，其中数折又歌之数十百遍，有一见而倾倒者，有数遍数十遍之后而渐觉好者，有数百遍而始开口笑者，有至今而茫然者，亦终身读之而已，赞何为哉！赞之者何？恨辞也。焉恨之？恨其"明放着白日青天，而眯䁖色眼寻难见"也。

（一）

或曰：子言何枒然耶？应之曰：否。夫文之至者不可赞，况名言耶。无以，请为吾子作"真""正"之《牡丹亭》论。以流俗言之，海淫书耳，何正之有？荒唐言耳，何真之有？然而不然。淫词艳曲中有正焉，缪悠恍惚中有真焉，此其所以为至也；且其正也，其真也，固又明明白白予天下后世以共见者也。见则休耳，不见请强聒子，子且掩耳而疾走也。夫仁者，人也；正者，正也。尽人之性，尽物之性，此正而不可乱、常而不易者也，内圣外王之法也，而犹未是也，直自然之本然耳。何谓自然之本然？"虫儿般蠢动"是也。此物之性，即人之性也。此人道也（读如"未通人道"之人道），即人之道也。谓为秽亵非也，谓为神圣亦非也。此自然之本然，"直"观之而已矣。故《诗》首称淑女，而圣帝明王之盛隆，贤人君子之怨悱，所谓洋洋乎《雅》《颂》之音者，且屈居其下矣。犹忆垂髫读《论语》"子谓伯鱼曰：'女为《周南》《召南》矣乎？人而不为《周南》《召南》，其犹正墙面而立也与！'"诚一唱而三叹有余味之音也。及年稍长，心尝病之，不为二《南》即须向壁耶？君子之远其子欤？圣人之言亦有过欤？二者必居一于此矣，然而皆非也。曾谓循循善诱、诲人不倦，吾无隐于二三子者，乃独隐于其天性之至亲乎？亦各言其子也，夫何远之有？是固授受之真，圣哲之微言矣。曲，小道也，却接此薪传，挥写出洋洋洒洒、花花絮絮之文章，谓为天下之至文宁有所誉耶！以吾言为誉者，吾不得而知之矣。

或曰：食、色，性也，宁待子言，夸而近诞矣。且以男女之情为正，则一正而无不正，非特《西厢》正，即《金瓶梅》亦正，何独《牡丹亭》耶？况"小姐花园订终身，公子落难中状元"，汗牛（之）充栋，子宁未之见？《牡丹亭》亦类耳。谓之矮子中长子可也，谬许为至文，不亦过欤？应之曰，唯，否。吾子之言所谓貌似者也。夫"虫儿般蠢动"不必为伟大，岂又待子言耶。姑舍食色之性而言文章。文者，机也，言近而旨远，因微而知著，兴感无端，因物变化。善夫张惠言之叙《词选》曰："其缘情造端，兴于微言，以相感动，极命风谣里巷男女哀乐，以道贤人君子幽约怨悱不能自言之情，低徊要眇，以喻其致，盖诗之比兴，变风之义，骚人之歌，则近之矣。"彼男女哀乐之所以总持人性者，非以其伟大也，乃以其卑微也；非以其高远也，乃以其切近也。《语》曰："能近取譬，可谓仁之方也已。"此十五《国风》之所以冠《三百篇》也，此乾坤咸恒之所以首上下经也，此《离骚》之所以觇缕美人香草也,此《十九首》之所以为古诗之峰极也,此词家之所以祖《花间》而宗《清真》也,此金圣叹之所以极口赞美《西厢》也,此《红楼梦》之所以独擅场于小说也。彼皆淹通之士、绝代之才也,胡不以其书卷、学问、见解一起拉杂搬入文章之中,顾乃呢呢尔汝,弄粉调脂,不辞身作妇人语哉。吾子尺寸而求之,则不能观其会通矣;驰骛而忘归,则忘眉睫之近矣。谓男女之哀乐为正者,即其所宜然耳,非一正而无不正也,否则古诗虽不必三千,亦正不止三百,夫子何独以"思无邪"许《三百篇》耶?更何以独标二《南》与《关雎》耶?然而正之与不正,邪之与无邪,其区分之大齐盖亦难言矣。吾固以《牡丹亭》所写为得情之正者,将以合于礼法为正耶?则杜女之遇柳生,一梦,二鬼,三人,皆私遘也,固深不合于礼法者也。将藉近世之说,以常态之恋情为正耶?则"梦里逢夫,画边遇鬼",又皆爱之变形也。正之与邪何由而定哉?夫正也者,诚敬、深厚之至也,诚意敬事、深情、厚德之总会也。以今语言之,则认真、老实、直落、坦白,皆稍稍近似矣,而未尽也。谑庵之言曰:"况其感应相与,得《易》之咸,从一而终,得《易》之恒,则不第情之深,而又为情之至正者。今有形一接而即殉夫以死,骨香名永,用表千秋,安在其无知之性不本于一时之情也,则杜丽娘之情正所同也,而深所独也。"是分言之也。窃谓深之外岂别有所谓正耶？若谓感应相与为正，则一切之佳期密遇无不正矣。若谓从一而终为正，则易绳礼宪于情场矣。贵夫从一而终者，以其自动自发于情性之自然，非以其能墨守先王之法则也。不知有礼而从容中礼者，情深故耳，此《语》所谓"乐而不淫，哀而不伤"。径谓之正可，而非别有正也。谑庵之言犹未善欤。诚、敬、深、厚四德之总名，无以名之，强而名之曰正。正不可说，《说》曰，正心而诚意，唯诚与正最似，请以诚说正。人间女子伤春之诚有如杜丽娘者乎？春游而感之，感春而梦之，梦春而寻之，寻之而竟殉之矣。丈夫惊艳之诚亦有如柳梦梅者乎？无非拾得一画耳，而玩之、叫之矣，不足，而见之矣，见之不知其为鬼也，及知其为鬼也，犹不足，遂掘墓而发棺矣。此埋之所必无也，情之所必有也，然哉然哉，若士岂欺我哉。爱欲之私，人与一切众生类也，二子之与吾侪亦类也。出乎其类，拔乎其萃，神明通之矣。积一念之诚，辄颠倒死生如弹丸乃尔，较《关雎》之"寤寐反侧"，不啻放大数百由旬矣，视其他之闺情、宫体、杂咏、无题，纷纷攘攘，啾啾切切，盖不堪一映矣，又岂但大小巫、上下床之别哉。试览典籍，有以如此正眼法藏观痴男怨女者乎？殆鲜矣。有特意作如是观者乎？亦仅矣。有鸿篇巨著全部如此写者乎？吾未之见也，还于《牡丹亭》见之耳。夫《牡丹亭》者，是能瞠目直视吾人之情性，领会而洞澈之，而又能不弯不曲写放之者也，是能以芥子示视须弥者也，重以立意之高远如彼，取譬之切近如此，并此而犹不见，宁止正墙面而立哉！或曰：《西厢》，才子书也，崔、张者，中国才子佳人之典型也，子奈何亦薄之？曰：薄其所薄耳，以薄为薄耳。彼崔、张者，儇狡之徒，岂春卿、阿丽之匹乎。曰：信厚《还魂》薄《西厢》耶？抑厚薄其题材耶？曰：厚《还魂》而薄《西厢》也。曰：如吾子之柳、杜、崔、张抑扬论，宁非厚薄其题材欤？请进而一质其究竟。吾子正《牡丹亭》，以《牡丹亭》为正欤，抑以《牡丹亭》之材料为正欤？若正《牡丹亭》，则吾无间然矣，但观子立论，辄彼此拉扯，胡遮乱映，说未必圆全。若正《牡丹亭》之人物故事而遂正《牡丹亭》，岂有说乎？曰：有说也。子岂能别题材于著作之外耶？子岂真以题材为水而著作为袋耶？抑或反之，水著作而袋题材耶？千万人之中，《西厢》作者何以独选崔、张，还当质之金圣叹，吾不得知之也。若言《还魂》，则"杜丽娘之妖也，柳梦梅之痴也，老夫人之软也，杜安抚之古执也，陈最良之雾也，春香之贼牢也，皆若士元空中增减圬塑，而以毫风吹气生活之者也"。此人人所共知也，岂可将此等人物及其所作所为一一剔出之，然后再来谈《牡丹亭》欤？魂灵欤，躯壳欤，抑一概念欤？彼一概念之《牡丹亭》又从何而赞之欤？夫著作固非其材料所能尽，而材料之选择熔裁实皆著作之分内，彼描写现实袭用古传之作且莫不然，况此幻设者乎。读空幻之文，其中山河尘影历历分明，会当以心影观之。彼柳生之遇杜女得情之正，宁非即作者之心影耶，《牡丹亭》之真面耶？乌得斥为拉扯。岂必将人物故事、著作、作家三者寸寸而割之，方得谓之不拉不扯乎？吾未之前闻也。或曰：奈窠曰何？曰：小儿见也。以为有窠曰，则有窠曰矣；以为无窠曰，则无窠曰矣。何以明之？心目中有窠曰，则必思摆脱之，此欲摆脱，便是一未能忘情于窠曰之证；而一摆脱之中又正为崭新窠曰之酝酿。若心目中无窠曰，则遂无窠曰矣，化腐朽为神奇也。腐朽安得化为神奇？腐朽即神奇也。非腐朽即神奇，不见腐朽，不见神奇也。何以不见？不得见故。胸次洞然，无所容心，如《牡丹亭》作者是也。彼妄生分别强作解人者，避俗若浼，而俗每追随左右之。吾子将旦夕遇之矣。

（二）

若士自序曰："自非通人恒以理相格耳，第云理之所必无，安知情之所必有耶。"深切明白矣。读吾文者，固当以赞为本文而以其下为注脚也,或"愚傧勿读"尤妙也,不说便能尽,多言必失,故吾在他文中曾发无言为言之义,而或者轻诋为晦涩,毋乃稍冤!然则文章得失惟恃寸心耳。要之,上篇虽未是近之矣,以下稍稍歧出,屡回首而行渐远,及至峰旋路转,柳暗花明,则又有游子忘归之概,其亦不可以已乎,而人之言亦可畏也。情之所必有,真也;理之所必无,不实也。真、实,常言谊通,析言则别,治文学者皆知之矣。今较论真实而赞《还魂》,途至迂且谬也,遂得全吾设喻之美焉。实者何?实也。假如仆今日行途中,见一狗一马又一狗,其明日纪以诗曰:"黑狗庙门坐,红墙剥落多。灰衣鞭马过,白狗对茅窠。"诗固不高,宁不实欤,然未必真。子异日之逛庙也,一不见坐庙门之黑狗,二不见对茅窠之白狗,其时恰有衣灰而鞭马者过乎,亦难必也。子畴昔之遇偶然也,子今日之不遇亦偶然也,以偶然遇偶然,泛泛乎若水上之凫与萍也,于是乎有漠漠然。漠漠然者,一切误会与麻烦之本也。子性不幸而躁,直以我为虚诬矣;子性幸而不躁,至少亦以我为油腔滑调而作冷眼矣。同一诗句,在我视之,固接于耳目至切近之谈也,在子,则甚遥远之事也。以此"感"动子耶?则子初未曾有此感也。期子以想象追我之感耶?或期子以能受而再生联想耶?而此感觉张本者又平凡琐屑,或不具此魅力也。若以"情"动子耶?则狗也,马也,我对之未尝有何情感也,即或有之,亦未尝寓之于言文也。吾与子,缘未会,其谆谆藐藐之相违之甚,似不足怪也。此实也,非真也。真者何?无往而非真也,人心之所同也,如日星之丽天也,如江河之行地也,人人共见共闻,又不得不见不闻者,是必然也。真也者,又无时而不真也,"古人不见今时月,今月曾经照古人",永久是也。如黑狗之坐庙门,白狗之对茅窠,虽为一瞬之偶见;而白狗之白也,黑狗之黑也,固将与斯民共其久长,苟能以此发为文章,人且将于一切白之中见白矣,一切黑之中见黑矣,且于一切狗之中见狗矣。"白狗之白黑狗之黑赋",是固奇文也,吾岂得见之耶,喻耳。白狗之白,黑狗之黑,此邻乎概念者也。白狗、黑狗,严确言之,亦概念也。而所谓真,其中有幻,又非概念能尽者也。文心之初,窈窈冥冥,瞳瞳往来,其化实为真、课无责有之状,颇类哲家所谓概念。及其致也,幻象吐芒,言词效技。如火如荼,明且绚也;如金如玉,重而密也;沧海生波,其浩瀚也;奇花始胎,真隐秀也,予天下后世以见闻之公者,岂一概念而已哉,必不然者也。故哲家概念与个体之判,初学类能识之,而文家之真与实,理即易明,其迹顾难辨也。有不似实而真者矣,有似实而亦真者矣,有似实而不真者矣,有不似实而亦不真者矣,纷总离合,灾梨枣者称线装书，费铅墨者称洋装书，祸写官者称抄本书，目眵颅昏，穷于披简，耳食且难，敢言知味。幸往昔名篇，当今巧制，昭昭在人耳目者，往往为传真之杰作，其豁人心眸，怡人神智，无过于此，非特一人私淑之而已，虽百世师之可也。若《牡丹亭》者，曲中之翘楚也，善以不实为真者也，善以凄迷如烟芜、愁艳如花雨之笔，舒儿女之情者也。不但其大关节目，所谓"生生死死随人愿"无是理也；即春卿之一梦非想也，阿丽之再梦非因也，梦之，无是理也；以守礼谨严之处子，而于"寻梦"一折，追想幽欢，"那般形现，那般软绵"，"有如活现"，亦无是理也；以青春二八之姝，不病不痛，竟欲埋骨于荒园梅树之下，亦无是理也；其时梦一书生耳，不知其名梦梅也，何缘而缱绻于梅哉，更无是理也；柳生以梦一女立梅树下而名梦梅，是柳本以女而改名也；今书中暗叙杜复以柳故而守梅根，此一梅也，孰先连欤，孰后系欤，孰因而孰果欤？无始无名，一环流转，断断乎无是理。柳生"见鬼见神，痛叫顽纸"，已称怪绝；及夫赞玩之顷，画中人来，乃惘然不识，猜之勿休，可谓怪怪奇奇，奇奇而怪怪矣。……然谓之不实可也，谓之至实亦可也。不实安得谓之至实？真也。真非实，又安得谓之至实？生于实也。真不生于实，又安生耶？故谓真为至实也，亦谓不实之真为至实也。人类之生活文化基于实感，以常识言,自明之语,不待诠证者也。以实感始,止于实感,此生活也,如见饭而吃之,见眠床而卧之,此人与众生所共,无所谓文化也。何以须吃须睡,吃了睡了又如何,此念来得突兀,殆人所独具,文化之始也。及渐进而有吃喝睡眠之哲学,便不见眠床与饭碗矣;转而为吃喝睡眠之文学,于是又是眠床饭碗矣。但此饭碗非彼饭碗,此眠床非彼眠床耳,貌似矣,神非也。如"水精帘里颇黎枕",温飞卿之眠床也;"甚瓯儿气力与擎拳",杜丽娘之饭碗也。枕头难道是颇黎,此地却也正须颇黎;饭碗何至于拿不动,但正也不必说拿得动。由实而真,真者无尽实,此哲理也;由实而真而幻,幻者真之化身,此文心也。哲士不尽为文人,而文人者皆不知名不专业之哲士也,非哲士即非文人也。文之于哲多一弯,只此一弯中便生出种种是非来,所谓幻也。幻似实而非,是摄实而成者,非离实而生者。《牡丹亭》以幻示真,盖真不可徒示也;以真统实,盖实独言之不达,悉数之则不可终也。奇奇怪怪,而绝非志怪之短书也,驰骤乎九天九地,而密接乎人间意也。不实者,其迹然;不离实者,其意味然也。以二说说之,不离实者何?不反乎实也。杜丽娘,窈窕女也,柳梦梅,君子人也,杜太守,古板之地方官也,家则阀阅也,社会则宗法也,于此而欲大书特书一往而深之情,其不反乎实,实难。此若士之所以一托之于梦，再托之于鬼也。使若神异之迹不可诘者然，使若直演志怪传奇诸小说为戏文者然，而其神明焕彩有不得遮掩者，与《聊斋》中之狐鬼，妙解人情，栩栩在纸，异曲同工，真良工之不得已也。人但知两书之说狐谈鬼记梦为荒唐，而不知若不说狐，不谈鬼，不托之于梦，便愈荒唐矣。若杜丽娘知世间有柳梦梅其人者，便抛父母，背爱婢，别家园，单枪匹马奔而去，不愈荒唐耶？使柳梦梅瞥见一女子，便目逆而送之，逾墙而搂之，在昔人视之不一妄人欤？妄人奈何亦言至情欤？夫礼防、情欲之抵牾非一日矣，作者不欲言情则已，欲言情安得不有所托哉。居今之世，读古之文，则视为冗赘也亦宜。反乎实又奚病？夫言文者所以通人间之情，期于共晓也，"说也，有所反之以取媚也，不媚不信，不信民不从也"。民不从则辞不达矣。欲求辞之达，宁惜笔之曲，心期媚世而世人固不知也，以其事之谬悠也，遂从而悠缪之，百口争传《牡丹亭》之妙，而妙处何在正茫茫也。扶得东来西又倒，信瞽者无与于文章之观也。安得人人而悦之，孟子之言然欤，抑伊索之言欤？或曰：子言有托而逃为不离实，其奈神怪之本身离实何？且彼短书滥托神怪者众矣，岂皆不离实乎？曰：神怪本身之离实，非所论于古代也。奇奇怪怪何所不有，古之贤者犹不免信之，吾未尝以若士为无神论者也。吾说未尽，子曷容我毕其词乎。不离实者何？幻也，其中有真焉，故不离实也。生必有死实也，死必无生亦实也，死而复生不实之甚者也。辨《牡丹亭》之是否离实，则"还魂"其要领也，得还魂而枝叶举矣。《牡丹亭》固以"还魂记"名也。作者之诠解亦在此一点，他勿及也。欲明还魂之迹不离实，说甚难也；欲明还魂之味不离实，事甚易也。舍难就易，人之情也，吾何独舍易就难耶！况甚难而又实非耶！理之所必无也，情之所必有也，不独不抵牾，相关连者也。又不独相关连，二而一者也，则一之可。盖不穷写彼理之必无，则不能畅达此情之必有。作者曰："生而不可与死，死而不可复生者，皆非情之至也。"其意若曰：不颠倒死生，不足与言至情也，以不实为真实之旨甚明白矣。作者又曰："嗟夫，人世之事非人世所可尽。"其意岂不曰：欲尽人世之事，当求人世以外欤。世事实也，世味至实也，非人世不实也，以非人世明人世，此以不实说真实也。人世之至实，孰有逾于其味者乎？（今言曰人味儿。）世味之秾郁，孰有逾于不知所起一往而深之情者乎？（此所谓"世间何物似情浓"。）故《牡丹亭》之幻有真也，《牡丹亭》之虚而实也，非一己之私乃天下之公也；岂独正言若反而已，直不及之正言也。子尚有他惑哉！曰：有。夫世味之真实，闻命矣。但自我观之，人世之情似皆不如《牡丹亭》所拟之甚也，何好奇眩怪乃尔？岂非钻入牛角尖中欤？岂非文士之结习欤？吾子为彼催眠，遂不觉耳。曰：善哉，启予之谈也。设人世男子中真有一柳生，女子中真有一丽娘，则子必曰日在疯人院寻人矣，尚有余闲来小斋夜话乎？子曷观夫结婚之礼堂乎？子曷观夫各地之公园、舞场乎？子曷观夫花前月下鹣鹣鲽鲽、我我卿卿之红男绿女乎？曷观夫百态千姿之恋爱相乎？子曾观而察之欤？察而思之欤？思之不得，又重思之，三思之欤？彼岂不皆以至情自命乎？彼岂甘以薄情自待乎？彼岂不以从一而终（今言当异而意不殊），死生不渝等语为口头禅乎？彼岂不曾梦想颠倒于未来之美满乎？彼几时坦白认识做爱为猫叫春，结婚为爱之墓乎？彼岂不以此男即为理想之男儿，此女即为理想之女郎，如"天生一对，地产一双"者乎？吾子苟熟察之，深思之，力行之，仍寂寂无所会，则亦已耳，否则安得不翻然憬然而赋归来乎？个别之情夫岂胜言，乃恒河沙数痴愚爱慕之所积也、之所期也，人人固皆以至情自许而又即以此至情许其眼前之妃匹也，于是才有所谓做爱、所谓结婚、所谓生男育女也，于是始有所谓人间世也。若子以反我故而曰："我不也。"人人又皆信子之言，众口一词曰："我不也。"则人伦息而人道尽矣，子宁欲以争此闲气，遂甘负此等偌大责任乎？吾信子殆决不也。然则圣人之言无过也，将从何而过《还魂记》哉。曰：信若子言似无过矣。

虽然，人世之事乃远求诸其外何耶？岂真实必待貌不实而明耶？非然也。若彼写实名作，凡油盐米菽，信手拈来，咸符真实，固未尝张皇幽眇，乞灵狐鬼也。曰：然则《牡丹亭》胡独不然？不必如是而如是，亦有说欤？曰：岂一端而已哉，殊途而同归，一致而百虑也。安见其不必耶？一兔在野，百人逐之，逐兔所同也，而所以逐兔或异，见兔之方、得兔之术无不尽同也。今冥冥中有真焉，其真甚信，即欣欣然若有得矣，于是有以"似实"说者，有以"不似实"说者，亿千色相皆不苟作，乌得执一言之，更乌得举一而废百耶？且逐兔喻耳，前言戏之耳，逐真岂真如逐兔哉？真也者，恍兮惚兮而中有物，窈兮冥兮而或跃在渊，神光离合，乍阴乍阳，盖名言有所不能尽，知力有所必不逮也；亦唯其如此也，始竭天下之才情，勇往前赴，至呕心肝而犹不悔；此固小儿之恶戏，狂者之自经，然而非得已也，谅之可也，责之非也。夫真之为物，体一而用多，其示现也，应观者之根器而微几其朕，有邻乎实者，有远乎实者，深深浅浅，正正奇奇。苟宛转从之，辄事半而功倍；不从，则事倍而功半，或事百而功不一成。大智若愚，大巧若拙，亦因循乎自然而已。不得不然，不知所以然而然，谓之自然。起作者于九原而询之曰：汝作《牡丹亭》，发何心愿，用何笔调？更厉声质之曰：汝究以何理由而用此笔调？爰且茫茫退立，如乡下人之见大老爷，殆眠里梦里都不知所谓理由也。忠于所见之真而已，忠于其所见之人间之情而已。善哉善哉，何其忠也。想人间之情岂有"至"哉，再想，而人间之情岂可以不"至"。故情之至者，必无而实必有也。谓为有耶，则亿兆之中竟无一二能尽其情，非有也；谓为无耶，则同此亿兆莫不有至情之根荄，待彼春风软，时雨滋，深红浅白，开遍花花，齐向阳和，呈其姿媚，子独曰无，宁非无目？难者必曰，乃一般之情非其至者也。曰：子真欲取并州剪，剪取半江水乎？水哉水哉，何取于水也！以胶投漆，以酥拌蜜，彼二物耳，犹相融洽，况乎一物，安有彼此？或尽或不能，多得或少得，形质秉赋之殊，而非情有间也。夫至情既宜有矣，人人皆欲言而不得矣，我恍若能言，如何而不言；欲言，又如何可言，会当求诸人世外耳。人世岂有外哉，说耳，曲与形容耳。不曲、不形容，不足尽所见，则不得谓之忠；既忠矣，安得无曲与形容。怪之，何也？《牡丹亭》之作，一必然也，作乎其所不得不作也；其如此写不如彼写，亦一必然也，不得不如此写，又不得如彼写也。今有回肠荡气之情，郁之怀抱有年矣，不吐之不快，轻轻啐之亦复不快，只有回肠荡气地吐之乃快，此必然也。人世之事，使人世而可尽，则不必求诸其外；使其不可尽也，即欲不求诸其外，其势亦有所不得，此必然也。

故《牡丹亭》遂一托之梦,再托之鬼,三托之迷离。曰荒唐奇幻,曰善于形容,皆隔靴之搔。以幻为幻无论已;借曰善状,何善之有?真出于"无奈""勉强"耳。子若并以此无奈、勉强为善,始善矣,奈已为《牡丹亭》所迷何!天下事,爽爽快快,能径而致者,曷不径致,顾颦眉搔首而卖俏哉?夫颦眉搔首而卖俏,决非得已也。谅之可也,责之非也。况姿首未尽劣,而情复可哀耶!此吾所谓必也。必者何?一之谓也,易词言之,其命定欤。只有一条路可走,是命定也。原夫有形之文章未形以前,已有无形之文章俨然自在,此"法"也。惟大智多情为能貌法,其技才如小孩子之描"上大人孔乙己",然斯人之出文囿,如白鹤之立鸡群矣。"文章本天成,妙手偶得之",还是文生情不错,吾今知之矣,吾又不得而见之矣。偶得之难,难如中彩,若而人者,何时始得如遇平生哉!惟描红之譬,窃谓前修未发之秘,愿毕其说于吾子。小孩子之描"上大人孔乙己",至忠至诚也,满头大汗,墨沈淋漓,一手尽墨,狼狈之极,即忠诚之至也。且彼小孩子耳,居然也会写"上大人孔乙己";写了,居然大家识得这是"上大人",那是"孔乙己",似彼忠也、诚也,犹不足以尽小孩,当曰,这小孩聪明也。夫聪明大名,奈何轻以誉小儿,非轻也,宜也。今日已如此,他日或如彼,小孩子之聪明,前程远大,蕴而未泄，如始胎之奇花也。子不观夫钟、卫、二王乎？（**吾友西谛君当为一例外**。）假使六朝小儿亦学描红，则殆无不从描红中翻过筋斗来，描红之事其可量耶！抑犹有进者，君以描红为难乎，其易也如抄书。劈空悬下一幅文字，明明白白放在那里，人似不见，见亦不抄，有一人焉偶见而照抄之，于是梨枣踊跃，纸歌墨舞，天人欢喜。其艰窘也如彼，必如彼也；其轻快也又如此，必如此也。知此知彼，可与言《牡丹亭》，为其可与言也，可与不言，为其不待言也；不知此，不知彼，言之不喻，不言之亦终不喻也，吾未如之何也已！彼且皆以我为欺诬也，还读我书以俟来者如何！临川子是描红儿，作抄书匠，一忠实同志也。当其未有《还魂记》也，胸次廓然，长天一碧，俄而纤云始来，扶寸之间，若自缱绻，若有哀怨，似乎了了而又不，似乎将合而却离，及其倏然而遂合也，则自然之法实式凭之，如在其上，如在其左右；既洞见之矣，于是庄矜严畏如有师保，口诵心惟，手摹笔追，其殆庶乎！而犹未慊也，于是敛绝代之奇才，言人情之舒惨，变狮子音，作女儿态。能守忠也，能变智也，不守乌能变，则聪明毕竟还是浑厚耳。人第赏其文章之奇幻，而不知乃正到极处，真到极处，忠厚到极处使之然。若以奇幻为奇幻，则造作聪明，一妄庸人耳，我辈今日将何从而睹其奇幻哉？彼圣叹之言诚是也，非之，非也。

东坡曰:"作文如行云流水,行乎其所不得不行,止乎其所不得不止。"夫行云流水,至无定也,然其行、其止,固有不得不然者,以喻文律,其精严气象又何如耶。故奇幻貌也,径以为实,盖被古人瞒过了也。复《牡丹亭》之曲律不谨,叙述脱略,世辄病之,真鷃鹏之翔,斥鷃之笑也。曲律会详另篇,若言叙事轻率,诚有之,然非轻率也,以轻率映彼重大,以不实说实之又一面也。杜丽娘爱女也,乱命不足听,官事纵急,无碍归葬,然竟客葬南安梅花观中矣,此轻率也。柳生一酸俠,无金无位,无拳无勇,且孤客异乡,乃谬欲取三年久埋官眷之柩而剖之,又得乌合众、萍水交若石姑姑、癞头鼋之徒而帮之,无边大事,唾手吹灰,此又一轻率也。衡之写实之律,其谬多矣,而不谬也,盖以情之至大至刚者与事势遇,固当如摧枯拉朽耳!非事势之信如枯朽也,以至情较之,不得不若枯朽也。事理,宾也,轻笔扫之;情,主也,特笔提之。轻重相成,主宾以见,此题旨词笔通和之论也。曷观夫《红楼梦》与其续书,则《牡丹亭》于是乎见。夫以迹言,《还魂》近彼诸续貂也。据八十回本,黛玉有死之道也,据百十回本,黛玉死矣,续貂者亦欲有情人之成眷属也,不辞开棺之劳而活黛玉,分明又一《还魂记》矣,乃天下读者偏真《还魂记》,而伪《续红楼》,咄咄怪哉!岂仅以其文笔之优劣欤?殆非也。

盖《红楼梦》之黛玉有必死之道，《牡丹亭》之丽娘有必生之情也。黛玉之死必然也，不死不足以尽情也；丽娘之生亦必然也，不生不足以尽情也。生死相反也，而必然之致一也。彼《红楼梦》者，欲以事势之至大至刚以诉情性之孤露也，于是黛玉死矣，彼妄庸人安得以《还魂》为隐身符哉。"谁把钿筝移玉柱，穿帘燕子双飞去"，其旨变，则结构、笔法等等无不应之而俱变矣，变乎其所不得不变也。《红楼》作者以狮子之力，幻出一偌大之家庭，层层罗网，处处荆针，而宝、黛二子侧身其间，局天而蹐地矣，相反而相似也。彼续貂者固瞠目未有见也，欲生黛玉，试问黛玉如何而生耶？其病在于失真，不在于失实，以失真而遂失摄实之力，以悖乎实则举世笑之勿怪也。若夫二者，直当谓之有情之宝典耳。欲说其无碍也，便真是无碍；欲说其无奈也，便真是无奈。左右游刃，无施不适。谓为天下之至情至文，岂尚有所誉，岂尚有所惑哉！吾子其雒诵《牡丹亭》而熟读《红楼梦》也，庶几乎免于惑。

一九三三年十一月二十二日

（三）

美人

幼年读史传，尝喜古代圣贤、美人之众，如尧、舜、禹、汤、文、武、周、孔皆圣人也，西施、王嫱、飞燕、太真皆美人也。稍长而稍稍怪之，以无所见也。既而泛览短书，不见圣人矣，而美人之来也愈众。凡一小说，照例必有绝美之美人，少则二三，多则数十以至于百美，个个又皆王嫱、西子也。夫王嫱、西子之美而艳，似已非尘凡所宜有，今无端又得如许之王嫱、西子，岂所宜哉。闲话休提，归于正传。夫往古来今，真真幻幻之美人如许之多矣，彼临川氏何必更写一杜丽娘，更如何写杜丽娘耶？陈陈相因欤？袭故弥新欤？此凡读《牡丹亭》者所必辨也。如何辨之？即以美人之美辨之可耳。清真《南歌子》"人好自宜多"，致语亦恒言也，美人岂有嫌多之理耶！论其实，则美人者旷世而后一见，而且不一见也，少也；少，不以多为病也。论其意，则人人心目中至少各有一西施在那边，情人眼里出西施，豆腐店亦有西施，多也；多，不以多为病也。使美人而信美也，无所谓不宜有，一美不少，百美不多，大有韩信将兵之度；使美人而不美也，则当另觅之他篇矣。若杜丽娘者，美中之美，故临川氏写之，宜之宜者也。以宇宙言之，则："笔补造化天无功"也；以人间言之，则"宛转和会亿兆人"之心眼也。君若问彼具何意见耶？彼曰：毫无意见也；君若问彼以何笔调耶？彼曰：别无笔调也。君若问彼世间有美人欤？则频摇其首也。君若再寻根究底，汝之美人安在哉？彼行且笑，笑君矣。连连给软钉子碰，此人情所不堪，殆非也，无奈何耳！如何而始为美，此见也，不可证而得也；何缘而忽爱美，此欲也，不待证而明也。美之在人间，如顶门一棒，心上一针，无枝叶之离披，无葛藤之引蔓。美人安在，无所在也。美人安见，还见之于君心耳。君果何因而必欲询诸他人欤？岂君尚不能无疑于彼美为之美欤？抑君尚不能无疑于足下自己之心眼欤？君何其抑谦乃尔！夫美与不美，今日之事一言可决，其最后质证并不在尘世之万千，而只在君心之一点。君曰如何，便如何耳，足矣，足矣，君奈何尚有所不足！譬如邂逅之，君安得诿为勿曾见；见之矣，则在彼虽虚设设之幻艳，而在君固已一度实丕丕地放开眼界矣。君又何必自贬其心也、眼也如此之甚耶。若玉茗堂，固深信不疑于自己之心眼者。不但此也，甚至于深信不疑以人间之大，必有同具此等心眼者，或具此心眼之类似者，不在咫尺，必在天涯,不在当世,必在异代矣。见之切,信之深,守之笃,于是写一杜丽娘。杜丽娘者,杜鹃也,于花则映山红,于鸟则子规也,其第一搭连自然是杜鹃姓杜,杜丽娘亦姓杜,其第二搭连则似不甚的确。《惊梦》"遍青山啼红了杜鹃,荼蘼外烟丝醉软",此隐约自况也。或曰:此非奇谈,定是笑话。然而,非也。〔冥判〕净唱〔后庭花滚〕"划地里牡丹亭,又把他杜鹃花魂魄洒",是判官以杜鹃喻杜女也。《旁疑》言将去杜小姐坟上,末唱〔尾〕"锁春寒这几点杜鹃花下雨",是陈师父以杜鹃喻杜小姐也。《硬拷》生唱〔沽美酒〕"才提破了牡丹亭杜鹃残梦",是柳郎以杜鹃喻其闺人也。《圆驾》旦唱〔四门子〕"便作你杜鹃花,也叫不转子规红泪洒",是丽娘兼花鸟以自喻也。而且是荼蘼,上引《惊梦》矣。《寻梦》〔懒画眉〕"睡荼蘼抓住裙衩线,恰便是花似人心好处牵",是荼蘼也。杜丽娘之为荼蘼、杜鹃何?岂真以"杜、杜""荼、杜"为邻类乎,殆非也。盖杜鹃、荼蘼,春二三月花也,花之晚者也;子规,尽情之物也,尽春之情其为杜丽娘乎,此邻类也,然而有迟暮之嗟矣。"杜鹃声在柳花边",逼出一柳梦梅来,书名"还魂",固卿柳生矣,遂字之以春卿也。《言怀》折"有一日春光暗度黄金柳,雪意冲开了白玉梅",梅先春,柳亦先春也,开宗明义第一章立即双提梅柳，先之先者也。（以下言梅言柳皆不数。）柳生何先？男先于女也。"牡丹虽好，他春归怎占的先"，此大有非使他先不可之意，故曰："只是梅好。"谑庵虐哉，亦实情也。丽娘一书之主，奈何后之？说在《摽有梅》三章，请勿怕头巾，《坤》之文言也。先之何，不失时也。后之何，必待时也。先之后之，及时也，全之尽之也。临川氏知夫不全不尽之不足为美也，而其生平绝作惟在《还魂》一记，故其说缘会之初，"来时荏苒，去也迁延"，非急色之秀才，先者后之也；及说到团圆，"南枝挨暖北枝花"，非迟暮之美人，后者先之也。或先或后，不先不后，譬之于观，恰直视也；于笔，恰中锋也；于摄影，恰好正面全景也。击鼓摇旗，堂堂正正，聊以写苍天之春，青春之美，美人之情，人情之至，至情之福有如是如是者。不当信如是耶？尚何有于纷纷儿辈之讥弹。彼小儿者耳入口出，只耳食团圆为窠臼之说，而曾不能稍体会，遂如鹦鹉之学舌矣。明乎此，杜丽娘非他，百花之魁元，三春之神王也（"神王"字面出《秘议》折），杜鹃、荼蘼是也，牡丹是也，子规、莺、燕是也（《判官》初欲贬丽娘入燕莺队，见《冥判》折），梅、柳亦是也。尘世安得有柳梦梅，女之心象耳。春所孕育无不尽也，春所邂逅无不是也。《冥判》〔赚尾〕"花间四友你差排"，丽娘非春，岂宜统制莺燕蜂蝶乎。

〔后庭花滚〕自碧桃、红梨以下迄于牡丹、杜鹃,一口气数花名四十,皆春物也。四十多乎哉?不多也,虚数也,百花也,万紫千红也。于次曲〔寄生草〕即找补夜舒莲一种,美人蕉在四十花外,而《欢挠》折又以之比杜丽娘。然则四十乌足限之,无花不是矣。丽娘非特为百花之魁,一百花而魁之也。(不词之甚!)《玩真》〔莺啼序〕"似恁般一个人儿,早见了百花低躲",岂独春之化身已耶,直春之本然也。夫春,美也;美,情也。春无美人,春何为;美人不见春,美人安见;美人而竟勿情,美何为;情而犹未美,情安见。言之,"剪不断。理还乱,闷无端";不言,"水点花飞在眼前"。故曰知难而见易也;又曰得见斯易也。夫柳生者得春之先,得春之全,得见春者也。生以何因缘而得见春耶?春光跃跃然欲生之一见也,"恰三春好处无人见",是以生之一见而后始无憾也。生似不欲见春,似春泥生以见,作者腕力如反张之弩。起首《言怀》,丽娘翩翩地先入柳生之梦,及二十八折竟又悄然蓦入一男子之门阑,卑其词曰"还怕秀才未肯容纳",女且先男矣。夫其先也,一之谓甚,可再乎,然而竟再之,三之,然而至三十二折上,柳生还在说甚:"薄福书生,不敢再陪欢宴。"何处穷酸!多大眼孔!天下之懒?一国之倨?乃作者纵其拗怒之笔,跌出一冥然孤往之杜丽娘耳。以荡地惊天之俊才，守礼谨严之处子，而不辞迎门调法，结露水良姻，其情之一往而深，深深几许，无人能知之，无人能言之，亦无人能理会得之，虽以作者之雄才亦复委婉其词，暂屈柳生，使彼顾有不欲之色，谓之出奇制胜可，谓之无奈勉强尤妙也。彼春光固时常强人以见闻者，丽娘之远祖久已呼为"无赖"，亦有憾焉，深之至也。柳生是何罕物，遽欲占断三春耶。盖作者欲以厚德配深情也，非作者欲以厚德配也，以人世惟厚德堪耳。厚德载物，情深于是乎栖迟，且有终焉之志矣。柳生自许曰"一味志诚"（《欢挠》），丽娘复许之曰"志诚无奈"（《婚走》），柳生之德之厚诚然矣，然生宾卿也，《牡丹亭》能叙之，不能描之，复以杜女之情之深推知之，非至厚之德将无当至深之情，故作者遂濡染大笔，乐得淑女以配君子矣。其地，则牡丹亭也。生者死之，《惊梦》也。死者生之，《回生》也。《惊梦》"转过这芍药栏前，紧靠着湖山石边"，是暗点也。（三妇本评曰："此处正是牡丹亭上，却不说出。"）《回生》于牡丹亭上进还魂丹，是明提也。生生死死都在这里，所谓"牡丹亭上三生路"也。亭必牡丹何哉？盖牡丹殿三春，王百花，富贵团圆，有情美满之极征也。红绿花卉，青绿山水，金粉楼台，脂粉仕女，装点饱满，淋漓酣畅一至于此。不知有俗，何缘避俗耶？牡丹虽好，其奈春归。得春之全者，梅花也，梅子也。花先之，子后之。故执夫两端，柳梦梅也，而用其中，牡丹亭也。子怪吾言为羊卵之类耶，而天下之大何奇不有哉，"人间天上道理都难讲"也，固作者之心耳。作者之心庸讵可知，猜之以我心耳。然梦梅之梅，梅子之梅也。非猜也，证也。其见于本书亦数矣。子何少见而多怪，奚如见怪不怪之为得。于《寻梦》《月上海棠》下说得明白，试引曲文：

呀，无人之处，忽然大梅树一株，梅子磊磊可爱。〔么令〕偏则他暗香清远，伞儿般盖的周全。他趁这，春三月红绽雨肥天。叶儿青，偏迸着苦仁儿里撒圆。爱杀这昼阴，便再得到罗浮梦边。

此固影绰绰说出一岭南秀才也。又《玩真》折：

却怎半枝青梅在手，活似提掇小生一般？〔莺啼序〕他青梅在手诗细哦，逗春心一点蹉跎。小生待画饼充饥，小姐似望梅止渴。……

丽娘画中手捻青梅。柳生之自比梅子往往可见，《言怀》折

"等的俺梅子酸心柳皱眉",《欢挠》折"梅子酸似俺秀才",其为梅子明矣。何缘而为梅子,则《诗经》学生家传,还是说《三百篇》,还是引《周南》《召南》,这四个字儿顺口。其义在《摽有梅》。〔幺令〕一曲即《摽梅》之曲文演义也,所谓"逗春心一点蹉跎",亦《摽梅》之义也。作者尚恐读者之无睹也,借《诊祟》折发科"《毛诗》病,用《毛诗》去医",用诗多不出二《南》,其中一节:

酸梅十个。诗云"摽有梅,其实七兮",又说"其实三兮"。三个打七个,是十个。此方单医男女过时思酸之病。

不但明明白白提出《摽有梅》来,并明白声叙《摽梅》之章旨及其在本书中之意义。如此归结杜丽娘,实女子之常,人道之常耳,何怪之有。既预叙焉,及夫曲终,驾前和合,银幕之朱唇方触,立即灯明人散,亦文家之常,谓之窠臼可也,更何有于怪。人世劳劳不过如此,窠臼,窠臼,汝庸可暂废耶。尽三春之情以归一女子,尽一女子之情以归一男子,此《牡丹亭》全部之提纲也。见怪不怪,怪果败矣,泚笔及此,哑然笑矣,陀螺千旋终是一点,筋斗三翻仍在掌心,徒费精神,其亦不可以已。曰:且勿自嗟,嗟将遁矣。子题作"美人"而累千言言春,下笔不能自休矣,野马也,尘埃也,博士驴也,粤若稽古也,何时了耶?姑改题为"春"如何?曰:乌乎可!我道君性急,固然。掩耳而走,此其时邪?虽然,少休乎。若题目是"美人",子言诚是;如其不然,仆亦未必非。有是哉,子之善忘也,捡之!曰:正勿必,仆之健忘尚不如是之甚也。从来未曾拈"美人"为题也。美人纵美,何与于仆?赞《牡丹亭》耳,其始赞也,数百言辄止,自以为足矣,吾子病其枵然也,欲仆申夫所以赞之之意,遂一误再误而至于此,今子不怪自己之抛荒本题,反以之责仆,毋乃太凶乎。《牡丹亭》之写艳冶与芳华,双管齐下,仆赞之亦双管齐下,谓效颦之姿,劣于前修,致难望其肩背,此诚百世难逃后贤之公论,若谓认错题目,则三尺童子犹知其不可,况仆耶!何为絮絮叨叨,本题眼前便是,杜丽娘,丽者,美也,丽娘,美人也。柳春卿,春者,春也。生旦出场,唱随和合,牡丹虽好,绿叶扶持。一个光杆儿美人,台上摇摇而摆摆,若非小青题曲,定是尼姑思凡,《还魂记》有此场面乎?彼双起,仆单承;彼殷勤牵线,仆棒打鸳鸯。好恶拂人之性,是凶是吉,足下当为仆三思之。"昔我往矣,杨柳依依","春日迟迟,我心伤悲"。春之可伤,千百年来非一日矣,彼悲秋宋氏郎君,还是后生小子。异日者,或应胡适之之誓,同归于奥伏,固亦难言;而截至此刻现在，群莺乱飞，杂花生树，春草碧色，春水绿波，人人心中尚以为天然佳丽，不烦仆一一作郑笺也。且所谓异日，宁非摩空尽厦，蔽空有机乎。洵若是，是不见春也。老子曰："不见可欲，使心不乱。"谚曰："眼不见，心不烦。"假如不幸而蓦然撞见此五百年之冤家，足下能具结保证其心仍如古井水乎，恐亦未必也。且奥伏以后，人人竖起天赋之脊梁，也不伤春，也不悲秋，事之或有也。但当夫春三二月，好景艳阳，了无欣欣之色欤？古今人（其时仆与足下作古人久矣）之相距乃若是之远耶？仆终不信也。若春之来，有欣欣之色矣，则春之去也，必有惘惘之容矣。即无惘惘之容，宁无惘惘之意，此惘惘之意非即所谓伤春惜春也耶？然则说到归齐，后世之人何必不伤春，特其"生的满他儿"，或略逊于今日耳。春魅人间何其甚耶？虽然，殆不如彼美之魅之甚。何以明之？此愚问也，仆将勿答。子纵能以算式示后人之决不再背诵《石头记》贾府小姐之芳名至于N数，但子亦敢必后贤不会再认肉麻当有趣欤？吾敢断子之不敢，吾能断子之不能。涂唇灼发，"摩登"女美，或稍异于天宝末年之朱唇云鬓，而诸吉士之爱之恋之，逗之诱之，怜之惜之，则一日耳。花红柳绿，久矣夫目成，酒绿灯红，从头又做爱，是不以境而变也。英雄儿女自然我我卿卿，同志同胞难免卿卿我我，是不以身分气质而变也。天不变，道亦不变，陈言也。世无不变之真，名言也。然而不尽然。世间固亦有其俨然不变者在，彼美之魅力非即其证欤。（儿子润民见"美人"一题之足困其父也，卒尔问曰：美人非贤人乎？曰：是何言也！对曰：见于《赤壁赋》。曰：他日女人之世界或然耳。若曰：父亲，苏东坡他亦是女人么？则将大窘矣，幸而不曾。）美占春先，人之情也，于是发为文章，不得不宾春而主美人，《牡丹亭》然，而非《牡丹亭》所独也，名篇巧制，蹈此窠臼而不悔者更仆难终矣。姑举二三以实吾文。"砌下梨花一堆雪，明年谁此凭阑干"，音旨微婉，弦外悲深矣，至"更比落红还可惜，倚阑人不似当年"，则声高调起，若无余韵，正以无余韵为佳耳。或尽或否，各有所当，各犁然有当于劳人思妇之心，此其故何哉？盖低徊怨悱，不觉而言之婉矣；酸楚悲凉，不觉而言之切矣；皆有所不能自已耳。固不独律句然也，"请谢彼姝子，何为见损伤？高秋八九月，白露变为霜。终年会飘堕，安得久馨香。秋时自零落，春月复芬芳。何时盛年去，欢爱永相忘。吾欲竟此曲，此曲愁人肠"。以两汉先民之拙厚，亦知每闻清歌辄唤奈何耶？亦知读《牡丹亭》耶？古今人相距真不如是之远矣。夫痛惜深怜之情，与其听彼飘流于茫茫人海，何如付诸断井颓垣；与其都付与断井颓垣，何如泥伊小庭深院乎。美人犹不可惜，夫何惜于春；春且可惜，美人不愈可惜耶！吾未见好德如好色者也，吾未见惜花如恋其情人者也。春者，暂往而复来；美人者，一往而不返也。春者，无岁不春，一春而天下春矣；美人者，旷世而见，且不见，见不必遇，遇不必识，相识殊未必缱绻汝耳。其难得也如是，其易失也如是，其一失而竟不可再得也又如是如是，则其宛转可怜，以此视彼奚啻什百哉，千万正不为多云。况美人，人也。春，物也。人物，景也。谚曰：见景生情，美人亦得谓之景乎？曰：可。王静安曰："昔人论诗词有景语、情语之别，不知一切景语皆情语也。"然则一切情语非景语耶？顾景有远迩彼此，美人有情之景，春无情之景，有情者斯谓之情，无情者则谓之景，此常言也。今不复吊诡，以景生情，其直接无碍，何如情自相生耶。春光者自然之美人，美人者人间之春景，其魅力原非有等差；然而若有等差者，体会有近远，理解有曲直耳。近远曲直遂生难易，难易既别便有等差。"蔓草见罗裙"，是目中先有罗裙也，"记得绿罗裙，处处怜芳草"，是心中原无芳草也。"见伊小日"并怜及乳燕雏莺；"送我中年"，叹息夫飞花落絮。彼花花絮絮、莺莺燕燕胡为也哉！设尘世自来无美人之见，至于无美人之想，亦无美人之痛惜与深怜，则彼莺莺燕燕、花花絮絮又胡为也哉！春物无情，且以生之情投射之，映现之，使万紫千红咸香生而色活,况夫一切有情之领会乎。斯固不假比拟,无待形容,不待思量,而即痛痒相关,非所谓"直观"也耶!文者,比拟与形容耳,而其至者,则超超元著,冥冥同符,邻乎直观矣。《牡丹亭》亦仅得数语,于《惊梦》折见之。〔皂罗袍〕"原来姹紫嫣红开遍,似这般都付与断井颓垣",此曲旦唱,美人(丽娘)惜春,主中宾也。〔山桃红〕"则为你如花美眷,似水流年"。此曲生唱,春(春卿)惜美人,宾中主也。异代知音,其唯芹溪氏乎。二十三回"《牡丹亭》艳曲警芳心",即《石头记》作者之"《牡丹亭》赞",备引而证之:

> 黛玉……虽未留心去听,偶然两句吹到耳朵内,明明白白一字不落,道:"原来是姹紫嫣红开遍,似这般都付与断井颓垣。"

曰未曾留心去听,而风送好音,偶然聒耳,何以明欺我辈耶。数十百句之曲文皆不入耳,独此句以何因缘得明明白白,一字不落?异哉,异哉,九泉可作,质诸若人。

> 黛玉听了倒也十分感慨缠绵,便止步侧耳细听,又唱

道是"良辰美景奈何天，赏心乐事谁家院。"听了这两句不觉点头自叹，心下自思，"原来戏上也有好文章，可惜世人只知看戏，未必能领略其中的趣味。"想毕，又后悔不该胡想，耽误了听曲子。

此以非想为想，以想为非想者也。想与言，行为论家证之，以足《闲言》之义，"耽误了听曲子"，善哉言！读《牡丹亭赞》何如读《牡丹亭》耶？"惜世人未必能领略"，此赞之所由作也，是不得已也。得已而曰不已，媚世之心也。

再听时，恰唱到"只为你如花美眷，似水流年。"黛玉听了这两句不觉心动神摇；又听道，"你在幽闺自怜"等句，越发如醉如痴，站立不住，便一蹲身坐在一块山子石上，细嚼"如花美眷，似水流年"八个字的滋味。忽又想起前日见古人诗中有"水流花谢两无情"之句，再词中又有"流水落花春去也，天上人间"之句，又兼方才所见《西厢记》中"花落水流红，闲愁万种"之句，都一时想起来凑聚在一处。

凝想之顷便恰好唱到〔山桃红〕，其说同前。诗也、词也、曲也，凑聚于方寸之间，反复融会，宁非所谓"先圣后圣""唯贤知贤"耶？芹溪在偌大一部书中只选出数句，又从数句中只选出八个字来，可谓金针度尽尘凡矣。善哉言乎！善哉言乎！不三叹之，意不快也。尽人世之情于一美，尽美人之美于一叹，故有情领会唯在《还魂》，《还魂》主峰则曰《惊梦》，《惊梦》之警策只有这八个字，"如花美眷，似水流年"，竟被他脱口说出，又立即被他说完了，使后之来者无以措词，文心之美至于此乎！天下之才应非过奖矣。夫无穷已者，春也；无涯涣者，情也；不可捉摸者，美人也；不可抓捏者，盛年也，悉数之，则历劫投胎，玄发千霜，儿头百剃，犹不可终也；摄以寸心，现为总持，斯一在而无不在，一见而无不见，一笔而无不到矣。明明白白几句好话放在这里，令人赞叹不得，笺释不得，然不赞叹、不笺释亦不得也。我辈今日奈《牡丹亭》不得，《牡丹亭》作者当日亦奈杜丽娘不得也，则丽娘之丽其可言耶。或曰：子不云乎，丽娘作者之心影也，今乃若真有其人，何耶？曰：奇花之未胎也，固孕育于春光杳冥之中；及其葩蕊芳芬，傍人近远，谓为虚花幻艳，天理人情，可乎不可乎？以作者之情之深，生生地跳出一杜丽娘来，姓以杜明为杜撰。然而已经杜撰了也，则衣带之间，茶时饭晌，当无不是者。歹带人寤寐，如送如迎；感激之余，郁为森怒。及至欲罢不能，而亦情恬梦稳，喜复初心矣。此见鬼之谈，放下不提可也。子亦宁不思，彼若无见于美人之美，则更何处去写美人之美乎？此一语斩断葛藤，必当信临川氏之有所见也。可质证者，唯一记耳。历览古今之言美人者，大要不离乎虚、实。实，形也；虚，神也。形先而神后，肖易妙则难，试发两端以概其他。古诗有如《国风》《楚辞》，《硕人》之二章开后来一切实写之宗派，而《湘夫人》开首四句，便空空色色，黄叶沧波，有成愁艳。前修未密，来者转精，洵不诬也。近代短书有如《红楼梦》，其于二美常有偏爱，写黛用虚，如第三回从宝玉眼中初见：

　　两湾似蹙非蹙笼烟眉，一双似喜非喜含情目；态生两靥之愁，娇袭一身之病；泪光点点，娇喘微微。闲静似娇花照水，行动如弱柳扶风；心较比干多一窍，病如西子胜三分。

脂本评曰："此十句定评直抵一赋。"愁也，病也，纵传统之美人愁多、病多，岂初见即病欤？律以写实，弥见枘凿，词故未尽佳，然的是虚拟。若其首两句，疑颦疑笑，则致语也。若钗、玉之乍逢则见于第八回：

先就看见宝钗坐在炕上作针线，头上挽着黑漆油光的髻儿，蜜合色绵袄，玫瑰紫二色金银鼠比肩褂，葱黄绫锦裙，一色半新不旧，看去不觉奢华。唇不点而红，眉不画而翠，脸若银盆，眼如水杏。（程乙本少去下四句）

虚、实判，而作者之情见矣。美之实者定于一，而其虚者幻于多。虚、实者，所以穷美人也；一、多者，所以穷虚实也。虚必以实观，实若虚而终于虚。虚者实之，实者虚之，一为多，多即一，殊途而又同归也。思之思之，似纷总也；言之言之，似缴绕也，然而不然，斯心之同然也，理之自明也，匹夫匹妇所共喻也。况吾子俨然在上，仆曷敢辞觊缕。虚奈何以实观？……设虚不以实观，子曰更以何观？紫玉且如烟然。再发前例，"帝子降兮北渚，目眇眇兮愁予，袅袅兮秋风，洞庭波兮木叶下"，非"明妆俨雅，仙珮飘摇"欤？"若有人兮山之阿，被薜荔兮带女萝，既含睇兮又宜笑，子慕予兮善窈窕"，非真有这么一个"如梦俏魂灵"欤？梦中之欢虽虚，而可寻则实；画中之美虽虚，而可叫则实。凡此种种，今兹未能尽，请得更端。吾故曰：不可捉摸者美人。终于虚也。"螓首蛾眉"，非似实而非者耶？其风流所被，桃花面、杨柳腰、樱桃小嘴之为世所诟病者，非他，以其陈腐旧套耳。第一个将花比美人是聪明的，第二个便是傻子。夫日光下无新物，奈何病旧，旧非病，似始病耳。故喻也，形容也，花容月貌，玉骨冰肌，凡以某喻某，所谓实状无非虚也。若以花月冰玉之神取譬，则虚之虚者也。当爱诵"灯影似人人似月，十分圆处不分明"之绝句，风神荡漾，善化实也、而《幽媾》〔夜行船〕一曲与此相似，举之以俟赏音：

蹩下天仙何处也？影空濛似月笼沙。有恨徘徊，无言窨约，早是夕阳西下。

宜拍案叫绝，然分明是实而终于不得不虚，此非无奈勉强何？赞之者何？恨辞耳，义兼美刺云。庶几无憾心或然耳，不能无憾若固有之焉。要之，"真色人难学"，虚不尽，实亦不尽也，然而不可不求虚实自身之尽；非求尽美也，尽则不美矣，故曰不可尽也。然而必求尽虚实者何？求心之安也。安而后能得，斯脱然无累矣。及释重负，则犹一庸众人也，所谓长图大愿，仅此而已。嗟嗟文心，汝何为者耶！何谓一？立准焉，准步亦步，准趋亦趋则奖，跬步失即勿美，所谓一也，以穷实也。比况之似实而仍非者，以其有二也，一之，故实也。"如有所立卓尔，虽欲从之，末由也已。"真殆庶之才也。而颜子之言不过如此，宰我、子贡、有若虽智足以知圣人，仁或不足以近之，遂不得不假宠于比拟与形容矣。"麒麟之于走兽，凤凰之于飞鸟，泰山之于丘垤，河海之于行潦，类也；圣人之于民，亦类也。出于其类，拔乎其萃，自生民以来未有盛于孔子也。"斯尽美矣，未尽善何？天生仲尼，只是仲尼，岂得谬引麟、凤、海、山以形容之哉？比拟形容实皆宽而无当，泛而不切者也。善言彼美之美之为一者，其屈家高弟，西邻之宋氏郎君乎。夫一，良不可言，言即不一，斯诚难耳，而文章巨子，出补天手，逞雕龙技，必挖空心思而强言之，口多微辞，受之吾师，真一颜渊也。"如是而美"，何谓如是原不可说，然"不如是而不美"，此不如是若犹可说。如欲登绝壁而不得，从其隈皨处攀藤附葛而进身矣。观其赋东家子曰："增之一分则太长，减之一分则太短，著粉则太白，施朱则太赤。"烘云托月而准在焉，斯可谓善言实矣。而辟蹊径于山阴，固视实若虚之义一例耳。《还魂》证以〔红衲袄〕曰："俺不为度仙香空散花，也不为读书灯闲濡蜡，淹不是赵飞卿旧有瑕，也不是卓文君新守寡……若问俺妆台何处也，刚则在宋玉东邻第几家。"左不是，有是，则必在个中矣。至于《还魂》特笔，当尤有进于此者。何谓多？不定也，无穷已也，仪态万方也。多者，以致虚也。何处有绝对之美人乎，不可不有此一想耳，实而最虚也。"颦有为颦，笑有为笑"，虽名言难罄似虚，终惬情理之实，是实也。状美人者，必曰容光。夫容光者，神光也，三光也。以日喻之，言其overwhelming也。（宋玉曰："详而视之，夺人目精。"）以月喻之，言其凄迷也。以星喻之，言其熠耀也。"他飞来似月华"，其在overwhelming与熠耀之间乎。"影空濛似月笼沙"，则是凄迷也。似逝未行，无近远也，乍阴乍阳，光中影也。故素乏平生半面者，却会似曾相识，及夫低鬟蝉影动，私语口脂香，颠倒在笼灯就月仔细端详矣。言美人者，又曰姿媚。态之与光，自难析言，然亦一无定也。夫岂有非颦不可之美人乎？又岂有非笑不可者乎？宋玉曰"美貌横生"，"不可殚形"，"目略微眄，精彩相授，志态横出，不可胜记"，言其昌盛繁多也。曰"婉若游龙乘云翔"，女子奈何以龙喻，言其神明变化，其犹龙乎，却非青牛老子。美人者，体一而用多，穷准形相，无非美目，形相可穷乎？故美不可穷也。于是仁者见之谓之仁，智者见之谓之智，豆腐店中有西施，百姓日用而不知，天下有情人毕竟都会成了眷属何？盖美人宜见而终于不，美人之美若定而终于勿。解铃系铃，世味嘲弄；清隽如橄榄矣。故容姿诚不可言，言之，人曰广讵知非豆腐店中人物欤？则吾技穷矣。似穷而非，无名强名，是谓善知识。在"真"篇中，曾以柳生叫画面不识丽娘为一破绽，今作者乃借以为说，真管夷吾之亚也。以破为立，必先明破，又必絮叨之而破始明。夫杜丽娘者，绝对之美人也，其汪当不在上引一句之关合"宋玉东邻第几家"而别有所在，始厌夫人之心目。试据曲文，求其内证。《言怀》一梦，《惊梦》再之，"是那处曾相见，相看俨然，早难道这好处相逢无一言"，是美人绝对性之一种观照，至少在柳生心目中为绝对。见美人而迷离梦之，相对者也；不曾见而俨然梦之，绝对者也。非想非因，何缘入梦耶？绝对之验也。曰"似曾相识，向俺心头摸"（《玩真》），必冥冥有会，玄玄如契，多年怀抱，一旦豁然，无毫发之憾者也。曰"好处相逢无一言"，则必来自先天根器，不由后天熏习而渐成者也。不见而恍乎有见，其体也，美于一也。及邂逅且重逢也，一见诸《拾画》，二见诸《玩真》，三见之于《幽媾》，见非一见，还似爱而不见，见而不尽者，其用也，美于多也。小说家常言，两阵对圆，提对儿厮杀，故意卖个破绽，真荒唐语也。破绽纵实，安知不缘气力不加，而必为故意卖乎？然破绽并虚，则尤说不到卖阵上。故从破绽说亦有破绽，而尚小，不从破绽说，岂不更大哉！请设两端，以明还魂所立为真实之破。丽娘画影必够像，柳生认心影必够真，虽读者之疑，疑不及此，终似不可不辨。《写真》丽娘自喜："画的来可爱人也。

咳，情知画到中间好，再有似生成别样娇。"《玩真》柳生曰："想来画工怎能到此，多敢他自己能描会脱。"丹青唯妙，有如是者，是唯肖否，再看《冥誓》：

（旦）比奴家容貌争多？（生看惊介）可怎生一个粉扑儿？（旦）可知道，奴家便是画中人也。

耳提面命，视献世宝如孩提矣。又按：自《拾画》后迄《幽媾》前，中历《玩真》全折，柳生独唱曲牌二十，不计宾白，一双眼睛不离这张纸。谑庵曰："痛叫顽纸。""顽""痛"俱妙。既"早晚玩之、拜之、叫之、赞之"矣，然至第卜九曲〔金莲子〕下，其宾白仍曰："再把灯剔起，细看他一会。"观之不足，固以曲绘芙人丹青之神奇与容光之离合，而此生是否善用其眼，却瞒不过诸位看官。斯下一笔而表里俱到。两端既得，始可言破。夫丽娘之画，画的的是伊自己，而生一口便咬定为观音大士，此又何说？风雨淹旬未能展视，以为大士久矣，今日晴和瞻礼一会，仍以为大士也。接唱〔黄莺儿〕曲"真身在补陀"，竟坐实伊为大士也。夫观世音菩萨与人间女子相去亦远矣，柳生奈何无目？真实之破，此其一也。"丹青小画，又把一幅肝肠挂。"及对景挂画，则曾不知也。嫣然暮雨之来，身遂晓风而去，而不知如故也。直至揭破谜底，始跌着脚道，可怎生一个粉扑儿。眼钝钝到如此，心呆呆到如此，犹曰国宝仙才，何颜之厚，此二破也。圆则不复破，而还魂之破皆不可圆者也，今不以圆为圆，即以破圆之，圆之圆者也。盖丽娘之美，即现诸丹青亦复妙到毫颠，是生骇异，是生严畏，直当呼之为大士耳。渐悟知其非也，则曰嫦娥耳，终不敢视为人间物也。及知其为"人间女子行乐图"矣，然犹不敢信其在人间也，故曰："怎能彀他威光水月生临揭"，又在暗暗地说什么观音大士了，痴顽到极处矣，眼生误认，犹可言也，咬住不放，不可说也。以〔隔尾〕终之曰"敢人世似这天真多则假"，竟到底不点头，令人动惘惘无奈之思。此一破绽画出美人之影、之美亦无尽藏，而丹青之超凡入圣，犹其细焉者。夫纸上谈兵，足令人色变，况其本来面目欤。此圆谎法门，大可隅反耳。月明如昨，今夕何年，掩卷而猜，识欤不识？吾知天下后世诸位明眼看官，固当同声疾曰："不识。"彼岂泥塑木雕者耶？而可如今日考场中时时拿出一张四寸照片来欤？抑并不须对照原本得，便一眼看杀了么？世间知丽娘者宜莫如柳生，而据记言尚有所谢短，则丽娘之美为一而多者，为无穷已者，虽书不尽言，言不尽意，不亦信乎！曰：吾得闻一、多矣，愿详通和之说。对曰：可，但子勿责以跑野马斯可。今有一点焉，聚则成形，散则成气，此通和也。言占美人必首西施，西予以颦美，效而成笑。虽代远事湮，书缺有间矣，当日之效未必无一似也，其成笑奈何？是颦非美，以西子而美也。"淡妆浓抹总相宜"，设与无盐、嫫母易地而处，则任尔浓妆淡抹都未必相宜，是淡妆浓抹非美，亦以西子而始美也①。西子一也，两子妆则多。得一得多，一不得多亦不得。谚曰"丑人多作怪"，是逾多且逾不得也。故曰一为多。多即一又何如？曰：子不惮烦战。乍观之，多固非一。相传环肥燕瘦，子姑信之。肥瘦不同，环、燕亦非兼美也。推而放诸百美图，其争妍弄色，奚啻什百，多而竟不复一矣。苟徐而思之，始恍乎有见于环、燕之一。设玉环体重至五百磅，而飞燕只余十，则必无祸水之唾，盖汉帝唐皇望望然去之久矣。"硕人颀颀"，"硕大且蜷"，而后之人曾勿疑为大块头也。掌上之身，香扇之坠，后之人又勿疑为小疙瘩也。曷为勿疑？必有见于一也。若无见于一，安得勿疑乎？宋玉曰"秾不短，纤不长"，是一是多，难欺来者。举两端而言用中者得一之谓也。柳条藤蔓，好处相牵，已近《大学》《中庸》，虽曰游子有忘归之乐，终不如兴尽回家闲过遣耳。一多虚实而不尽美，又将

---

① 或曰："西子蒙不洁"，子意云何？曰：非妆。

如何！猫儿已失，且去寻寻，明知将无见于碧落黄泉，而毕竟呵以多走一些路程，似乎对得起一双脚。于是有颠倒说之者。宋玉曰"惑阳城，迷下蔡"，知何尝不及而来者实精。李延年歌云云，倾国倾城，今为俗滥矣，在当时初被管弦，则新隽语也。以彼美而我惑，美因而惑果。凡诸虚实法，太半皆言美而求染习此惑也。今似虚实两穷，遂不得不倒果为因。（**上言还魂之破，实已参用此种写法。**）既倾国倾城，必无对无双矣，所谓颠倒也。史言褒姒之灭宗周，西施之沼吴宫，于是千载之下咸深信勿疑二子之美矣，其实国社云亡，宁无君相，奈何责一女子而二子之美究竟如何，纵使纤手当年真掷破过一座江山，仍不可知也。然而后人甘心受古人之欺瞒，笃守而勿疑者，此颠倒为说之明效大验也。马嵬之事亦然。唐之诗人曰"未免被他褒姒笑，只教天子暂蒙尘"，直以祸乱之大小长短为量美人之玉尺矣。揣其口气，且似以安史之乱为不足矣。童骏语也。非文心乎？说与形容也。而正言若反矣。正言可若反乎？曰：可。观美人以祸水可乎？曰：可。然而可者，仅可而有所未尽之词也，是未尽善也。六宫固多粉黛，即满朝臣宰谁无大妻小妾，然美人之与政事终久是一截搭题，暂而非久，变而非常，间接而非直接。飞上枝头变凤凰，能有几人？而衔泥之燕实多。"贱日岂殊众，贵来方悟稀"，是侥幸耳，非必然也。设西施不入吴宫，杨氏偕老寿邸，其咸终于泯灭乎？揆之题旨，良不可通也。是以"一代红妆照汗青"，虽似足证成彼美，然能立者能破，后之善疑古者，或贡疑曰，彼徒解倾人之家国而已，乌睹其所谓美耶？此事之或然也，则奈何？盖若人宁守自己之心眼，而不敢、勿欲深信夫帝王卿相、王孙公子之心眼也。夫将证彼帝王辈之心眼与尔我之心眼同美或较善，事属大难，然则奈何？再去寻寻耶！汉乐府"行者见罗敷，下担捋髭须；少年见罗敷，脱帽著帩头；耕者忘其耕，锄蕾忘其锄；来归相怨怒，但坐观罗敷"，以人人心眼互证之也。孟子所谓国人皆曰可杀，然后杀之也。彼西施之美唯恃夫差之一眼，此危道也。夫夫差者，亡国之君；汉成者，昏庸之主；明皇者，梨园子弟之长也，大事糊涂如此，小事宁不糊涂，然则危矣。骄人何如劳人哉。所谓是非者，天下之公也，不知子都之美者，无目者也，心印心，目授目，则偶然去，必然得，侥幸躲，功力出。青钱万选之才，必如是而后犁然有当于人心。尽乎？然而未也。《西厢·闹斋》之文即从《陌上桑》脱化：

> 大师年纪老，高座上也凝眺。举名的班首真呆僚，将法聪头做磬敲。老的少的，村的俏的，没颠没倒，胜似闹元宵……大师难学，把个慈悲脸儿蒙着。点烛的头陀可

恼，烧香的行者堪焦……贪看莺莺，烛灭香消。

亦酣恣极矣。然而双文国艳，诸秃昏迷，虽可为尘世劳人开颜暂笑，其境界何伧且陋也，乌足以证峰极之美耶！敢问何谓峰极之美！此纵非绝对，亦必密邻乎绝对者；此生乎自心，而不必待他心以成者，其在言象之表乎，固其所也。夫在言象之表矣，犹能强而纳诸其中，则断断乎非绝世之才不办，《牡丹亭》是也。今引自序之词，只以一字易之："生而不可与死，死而不可复生者，皆非'美'之至也。"斯言也，仆固自信并能发作者之所未发矣。人但知美人为情生为情死，而不知美人即以其自身之容光姿媚而流转乎生死也。夫容姿至细也，死生亦大矣，岂不痛哉！当日"彩云易散琉璃脆"耳。今乃若及诸掌，美之峰极也。非欤？曰："生生死死随人愿。"言诚善矣，惜其不甚明清。丽娘纵情深，然亦不必死。"谎也，世岂有一梦而亡之理？"彼判官之言，天下之言也。再退一步说，纵有之，亦情欲之变，事属突发而偶有，常情所难会，又不必牵引于文心也。"有女怀春，吉士诱之"，正如《黄庭》初写：若曰有女伤春，因而死之，得毋皆骇怪矣乎。然而丽娘奈何竟死？此问宜答。然子若问丽娘之死何其自然？岂不更妙。盖丽娘之死一无奈耳，使可以不死而死，殆无复自然矣（于"生"亦然）。何谓无奈，则曰美耳。杜丽娘不过人间一女子，女子之情总不过如此，然丽娘美人也，而人间女子不必皆同其美；故情所同也，美所独也，与其谓为情死，何如谓彼死于彼美之为得。观其由生而死，记中有《惊梦》《寻梦》《诊祟》诸折，由死而生，又有《写真》《冥判》《拾画》《玩真》《幽媾》诸折，真一开一合，花团锦簇，好大文章也。绾以柳枝，是谓柳生。《惊梦》入题，春光美人，双管齐下，深怜痛惜之不足，而竟厌苦之矣。其描摹幽闺难遣之怀，故纸栩栩欲活。"没揣菱花，偷人半面"，是镜照人，非人欲镜之照之也。"沉鱼落雁"则曰"鸟惊喧"，"羞花闭月"则曰"花愁颤"，是将国色天姿说得雪淡冰凉，毫无价值也。"姹紫嫣红"则"都付与断井颓垣"矣，"良辰美景"则曰"奈何天"矣，"赏心乐事"则曰"谁家院"矣，"牡丹虽好，他春归怎占的先"矣，"观之不足由他缱"矣，"十二亭台是枉然"矣，"颜色如花"，"命如一叶"矣，"名门仙眷"，"甚良缘"矣，"淹煎残生"，"除问天"矣。柳生来何暮耶？百世之下，读书者，听曲者，观场者，人同此心，心同此理，齐声众口，望眼愁眉，于是柳生可缓缓归矣。明明非想非因，处处满心满意。其来也，孰召之，丽娘召之，看官召之也。"则为你如花美眷，似水流年，是答儿间寻遍，在幽闺自怜"。可证柳生之来原非仓皇投帖,原专为丽娘而来,然而丽娘即死于是,亦旧说也。"素昧平生,何因到此?咱爱杀你哩"。临川正文,即在宾位,亦终始以"情"说,而仆之笺疏固当始终以"美"说。情之至,契合无间之至,固不得不来,而美之至,赏心无奈之至,尤不得不来也。今日北平,有一女士,征婚求友,美者易乎?不美者易乎?故京兆市民人人皆曰,美者易也。美者易;准此,愈美必愈易,极美必极易,固不待证而明。小庭深院,一书生闯之,斯可谓极容易矣。"小姐,怎的有这等方便啊?"方便者,容易之别名也,容易者,所以证美也。要之,且不管有理无理,而柳生实来。柳生来得去不得,又不得不暂去,而丽娘必死。一晌幽欢,何人见梦,以谨严处子之身遇之,而乃视若寻常,在今日则然耳。夫丽娘是何等标格,《肃苑》折中分明叫醒:"名为国色,实守家声,娇脸娇羞,老成尊重。"于情于礼,唯有一死堪酬知己,谑庵之言诚为不谬耳。《寻梦》折〔月儿高〕首曲,亦温助教,亦李小姐,而意必已出。其次曲则茶饭不饮矣。及夫再游花院,困偃梅边,〔么令〕曲下谓"我杜丽娘若死后得葬于此幸矣",得仁何怨,俨然首阳之饿也。《诊祟》折〔金落索〕曰"心儿悔,悔当初一觉留春睡",所悔唯此耳。悔他不来,故曰悔也。〔尾声〕曰"依稀则记的个柳和梅",真所谓"梅、柳二字一灵咬住"者也。死得自然，死得分明，死得值，亦唯其如此也，更可惜。寻根究蒂，当怨老天何生佳丽。"丽娘姐姐，真个死了么？"此一问却又不可少。然多此一问，不知多出几许文章。丽娘之回生，非若志怪之荒唐，亦非情深一往所可尽耳，当曰自力他力之和会使之然。他力何来，则自力摄之也①。质言之，丽娘即以其自身之美而超越死生之界也。《写真》虽在前生，而再生之机倪焉伏，虽比不上孔夫子，也比得上太史公。"一旦无常，谁知西蜀杜丽娘有如此之美貌乎"，即"鄙陋没世而文采不表见于后世"也。"盛着紫檀匣儿，藏在太湖石底"，"有心灵翰墨春容，倪直那人知重"（《闹殇》），即"藏之名山，传之其人"也。临川子手写丽娘，目送归鸿，有顾左右而言他之妙。太史公曰："夫抵贤圣发愤之所为作也，此人皆意有所郁结，不得通其道也，故述往事，思来者。"其意固非一女子所能尽，然遽谓为不相及，岂知言邪？贤圣之与匹夫匹妇，岂有间耶？"匹夫匹妇，可以与知也，及其至也，虽圣人不能知也"，然则殆未有间也。悲天悯人，自怜自惜，事有小大，情非有大小也。"依旧向湖山石儿靠也，怕等得个拾翠人来把画粉销。"消沉兰菊之

---

① 拟仿"神人共愤"句法，惧多尔衮而止。

芬，视重泉如故纸，非凡之艳也。《冥判》折曰："这女鬼到有几分颜色。"颜色而曰"几分"，似弥远于绝对矣。然而不然，当知此乃"威凛凛人间掌命，颤巍巍天上消灾"之老判语也，非欲扬先抑也，直以抑为扬也。秦罗敷捉弄庄家汉，崔莺莺耍笑和尚头，此师古人之意而小变其法。或曰：子以几分为非，几分似曲。应之曰：听曲子！接唱〔天下乐〕"猛见了荡地惊天女俊才。"夫荡地惊天之俊，不知合给伊几分？故知此老凡心未净，口多谎辞，吾子勿听耳。不如听曲子，"血盆中叫苦观自在。"判官竟先柳生而误认矣，极笔也。判官以"神"之位分，似宜认识观世音，今奈何亦眼花误认；若非误认，即为比拟，拟于不伦，亦极笔也。其下马面牛头啾啾切切，神光所射，鬼头不分新故，一举而尽摄之。其后奉判还阳，老判、花神不无卖放之嫌，而彼二人（鬼）者，又大拌其嘴。虽曰"天风海涛，收帆不住"，然实从《陌上桑》"怨、怒"二字脱胎换骨。一把将人推下桥头，虽最切实，公世法言之，无乃稍苦！波力浅深，凝望双桨来时，知之否乎？曲文到此，一切因缘悉已和合，一切排场悉已齐备，至《拾画》折，新郎始迤逦而来，何其晚乎！生何因而关情山子，女何因而似缱梅根，二者同其玄秘，今且勿论。丽娘不云乎："前日为柳郎而死，今日为柳郎而生"（《冥誓》）。而柳生之在《还魂记》有虚实宾主之别。自《惊梦》迄《闹殇》,主角心中之柳生,此柳生尚虚;自《拾画》至《回生》,观场者眼中之柳生,此柳生即实。柳生尚虚,则丽娘全乎其为主;柳生已实,则丽娘不得不似宾,柳生又不得不似主。(又见上。)欲根究回生之事,安得不言柳生。《婚走》折〔胜如花〕首曲,全部之提纲也。

> 前生事曾记怀,为伤春病害。因春游梦境难捱,写春容那人儿拾在。那劳承那般顶戴,似盼天仙盼的眼眙,似叫观音叫的口歪。虽则尘埋,把耳轮儿热坏,感一片志诚无奈,死淋侵走上阳台,活森沙走出这泉台。

再生有二阶段:"死淋侵走上阳台",是幽媾也;"活森沙走出这泉台",是回生也。以鬼遇人,以人活鬼,诺皋之者,则很很的叫也。(尝谓《玩真》之题,实不如后人改名"叫画"为善。)虽在尘埋,把耳轮儿热坏,叫斯很矣。《大言赋》不是过云。如何《叫画》,眼眙而口歪,如何《拾画》,那般的顶戴。骑虎背者,不下;在弦上者,必发。虽重复引之,良不可已。无柳生则丽娘必不生;有柳生而无情,或情而不深,或深而不至,丽娘必不生。盖死而复生其事至难,事难则文难矣。若问何谓"深"？作者之言自知之。若问应如何阐发？则作者固未尝质言；未尝质言已耳，亦未尝不言。《还魂记》具在，可覆按也。发题词所未及发之旨，虽目拙心劳，良不可以已。二篇以诚，今以敬说。诚、敬、深、厚，一德之四端也。《大学》《中庸》以下言敬者实多，而以之读曲似酸。宜用恒言，勿搬书本。夫男女之情至亵也，顾以敬说之，子岂以亵为非亵乎？曰：非也。岂有说乎？曰：此安得无。明认情欲之是亵而非敬，则举敬足以示亵，举亵不足以示敬，分明之推也，夫世间有情亦多矣，奚独儿女？以五伦言之，君臣、父子、兄弟、朋友何必不情，情何必不深，奚独夫妇？然君臣、朋友尊而不亲，父子、兄弟亲而不亵，亵狎之地，其在闺中乎！亵则不敬，敬则不亵，奈情之一本何。在歧路之前，摄情本于一点，其事大难，惟仔细研求，甚难实非。彼四伦之敬而不亵，不可挽回者也，挽之糟矣。夫妇之间，亵则不敬，斯言也，孰言之？大可商量。夷人吾不知矣，若吾华夏先民，敬爱连文，久为熟语，"相敬如宾""齐眉举案"至今日尚为人人之口头禅，读《左传·僖公三十三年传》，知前哲风流所被者远矣。夫古之人岂尽童骏耶，闺房之事有过于画眉者，宁不知之，而迂谬乃尔！谚曰：爱极生畏。为惧妻者作解嘲耳，而固有深意存。彼儿女之情其所以若将总摄人道者，正以其独亵也。然而犹未逮者，以其不必敬也①。今穷燕昵之欢而复庄敬严畏出之，则真足以总持万有，如振裘而挈其领也，故曰有情之领会也。《还魂》作者独发弘愿，借一生、一旦当场搬演之，故曰有情领会惟在《还魂》也。吁，不至阿其所好，吾子视仆何如？情深几许不下桥者不知，今姑喻耳。诚、敬一也，而若有二。诚也者，其品格之固然，所谓诚者，自诚也，无对者也。敬也者，意态之可然也，行吾敬，则谁敬，在内而有对也。以柳生之诚，得一杜丽娘遂合延津之故剑，谐凤世之良因，然柳生初不缘此而诚也。敬则不然，一刺激之反应耳。虽不因人而有，必待其人而见；苟非其人，敬不虚生。易词言之，则敬其可敬者耳。若无可敬而谬敬之，则岂不近乎僋。故必擅定丽娘之美为足以启迪柳生之敬心者，而后此生之怀抱奇异，始得其宜而有所丽，又不独神光眩感已。婵娟女态即妙相庄严，逐步推出，不亦信乎！请证之以《还魂》。于《拾画》之始，见"观世音喜相"，便欲借书斋灯火，供养慈悲，未能展视既曰"宝匣庄严"，瞻礼之余又曰"天身自在"。无奈其"威光不上莲花座"，始勉强而曰嫦娥，终一灵不忘彼观世音，后文〔金莲子〕可证（见上引）。及夫祥云不托，并嫦娥

---

① 此《金瓶梅》之所以不及《石头记》也。

失却了，又曰"不是观音，又不是嫦娥，人间那得有此"，坚拗乃尔①。以后事实上循题读画，明明知其在人间，而心目中惊恐摩诃，刻刻疑其在天上。《幽媾》上场仍以天仙叫破，至〔秋夜月〕曲而作者之情见矣。

> 堪笑咱，说的来如戏耍。他海天秋月云端挂，烟空翠影遥山抹。只许他伴人清暇；怎教人佻达。

"怎教人佻达"者，情之庄敬也；"海天秋月"者，美之严肃也。曷为先言美而后言情？见彼美而动斯情也。曷为先言严肃而后言庄敬？庄敬必生于严肃也。（昔读《神女赋》见"庄姝"二字而深爱之。善状美人，宜无如宋玉。）到《冥誓》中，生春熟矣，而柳生仍在絮絮叨叨、惊惊恐恐，丽娘不耐烦矣，直驳之曰："不是人间，难道天上？"谁料柳生接上一句："不是天上，难道人间？"广东秀才，唇红齿白，真奈何他不得。言美人者，动辄曰好比天仙，最为熟套，今《还魂》作者灵珠在握，袭旧为新，而芬芳自远，固知才有高下、气有清浊、识有长短，真不可强耳。谚曰"把死人都说得活的"，

---

① 亦不离实，盖丽娘画中手捻青梅，柳生初认梅为柳，则曰大士，继又认柳为桂，故曰嫦娥。

言其善为说辞也。《牡丹亭》堪之矣。丽娘之生,生为柳郎,丽娘惟知有柳郎也。询请作者,漫曰情深,作者惟知有至情也,而私心咸以为未尽。夫唯至情得度越死生,诚是也,然至情奈何无托,当曰至情之子如柳生耳。然此生何来,生更焉托?今按柳生来梦,丽娘召之;柳生拾画,丽娘画之;柳生玩真,丽娘逗之,是尽生之情以丽娘为托也。情之重足轻生死矣,其美又将如何?是不可见而知之,可推而知之者也。故作者不言美而言情者,非不言美也,深言之也,二青不可析也。析言之,说也。夫情者,人人所同有也;美者,人人所共见也。其不能尽情,亦不能穷美者,非人欲知节,天不能无爱也。然而人之所以为人者,以其懦不从天、愚而不求知天耳,若求知天而从天,则堕入畜生道中矣。文章小道也,终赖以升人性于高明,夺天心于杳冥者,其在斯乎!故有情焉、美焉,情必深而美必至。不深不至,意不快也。有深情焉、至美焉,必以一身兼之。不兼之,意不快也。兼情、美者,必有其缘。若吝其缘,乐虽有而不大,乐虽大而尚非莫大,意终不快也。惟备福缘善庆于深情、至美之身,则乐莫大焉。莫大而始大也。若《牡丹亭》者,可谓能见其大矣。无间予人天,出入乎死生,不特将人人寤寐之间幽微难到之情、恍惚难踪之美,轻轻几笔,一举而昭诸耳目,威灵显赫而已,即其美满团圆,欢欢喜喜,"俗得这样雅",不亦大快人心矣乎!夫"言不空生,论不虚作",至情至文必将有会,若而人者想象见之矣。夫美人纵有,未可言也,而况想象乎?不可言,斯言之长矣。

一九三四年一月二十八日

杂谈《牡丹亭·惊梦》[1]

（一）关于"游园"一般的看法

习惯上都说"游园惊梦"。"游园"，歌舞虽很美妙，如果单演，则场子太短，戏剧性也不很突出。大家知道"游园"只是"惊梦"的一部分，它的前奏曲，是不可分割，不能独立的。话虽如此，一般的曲谱都把"游园惊梦"分成两折了[2]。昆曲中类似这个情形很多，本不足为奇。现在我们如只说"惊梦"，便好像不连上边"游园"似的。

---

[1] 原载1957年《戏剧论丛》第二辑。

[2] 1921年上海出版之《牡丹亭曲谱》及刘、王合编之《集成曲谱》《游园》折początk首有花郎吊场（系从原本《肃苑》折折出），殆亦因场子太短等原故，添了这一段。花郎念白两本不同。《集成》数花名，从《冥判》折曲文拆下。坊本《牡丹亭曲谱》系老曲师段淮深本子，花郎念白，骈偶句法、描写花园景致，即此可见《游园》不曾实写什么园景，老辈艺人早已看到了。

但"游园"的不宜独立,并不仅仅在是否应该遵照原书,或者它缺少些戏剧因素;用这个名称标题,我就觉得不大妥当。翻成白话就是小姐丫环逛花园。真逛了没有呢?至少,她们并不曾畅游。深一步说,"游园"这个名目不能表现这一场戏的主题,而且还引起若干的误会。这是基本的。

虽然作者在《闺塾》《肃苑》两折上极力渲染将要游春,又在俗称"游园"的前半段作了许多梳妆打扮的准备,似乎真要大逛而特逛了,我们看到后文的宾白曲子,着笔寥寥。〔皂罗袍〕曲,只是一味的感叹;〔好姐姐〕曲,看了一些晚开的花,听了一些莺声燕语,如此而已,好像很不过瘾。实际上用了虚实互换的笔法,为下面《惊梦》《寻梦》以至《拾画》等折留出地步,从章法上说来也是正确的。

他为什么要这般写,当不仅仅有关于笔法或结构的问题,而牵涉到本折的主题思想和主角的性格、心情、环境等。她在惆怅,而不在欢笑。她是伤春,而不是游春。原文不及备引,只就〔皂罗袍〕一曲略加诠表,作为一个例子。

开头她叹息着"原来姹紫嫣红开遍,似这般都付与断井颓垣"。虚神笼罩,已总摄惆怅情怀的全面了。接着提起古语所谓"良辰美景""赏心乐事"来;然而于"良辰美景",则曰"奈何天"也;于"赏心乐事",又道"谁家院"也。可见这儿没有啥可赏可乐的。于是接唱："朝飞暮卷，云霞翠轩，雨丝风片，烟波画船，锦屏人忒看的这韶光贱。"这意思大同于"尼姑思凡"所谓"见人家夫妻们洒乐，一对对着锦穿罗"，不过说得格外风流蕴藉罢了。有人解释"锦屏人"为杜丽娘自谓，大误。她多么珍重爱惜这韶光，何尝轻看呢。

"游园"的表演，从总的方面说，这一场戏需要表出丽娘、春香的同异来——同中有异，异中有同的关系来。如旦贴同台，合盘身段，对称的表现，而一是五旦，一是六旦，又分出家门来。表情方面，春香天真活泼，像娇鸟离笼似的快活，而杜女却无端惆怅。同一境界，而身分心情不同，已觉难办。——而且，说杜丽娘一味的惆怅罢，也不。深闺愁闷中，忽嫣红姹紫，蓦在眼前，若不欣快，岂近人情。她是欢喜之中带着惆怅哩？我对戏剧本是十足的外行，只觉得这场戏的表演，要恰合乎理想，所谓作者之意，原是很难的。若一般的演出，借歌舞表现出三春的气氛，佳人的姿态，自然也就可以了。

（二）杜丽娘怎样醒的

《惊梦》里有个小问题，似乎前人很少谈到：杜丽娘这个梦是怎样醒的？照现在唱法（原本也是这样的），花神下场，杜、柳同唱〔山桃红〕前腔后，还有一段对白，才接杜母上场，是两人幽欢以后又说了好一会话方才醒的。另一方面呢，似乎不是这样。《牡丹亭》里有几处：

（一）《惊梦》本折：花神白："咱待拈片落花儿惊醒他。"向鬼门丢花科。

（二）《寻梦》折〔豆叶黄〕曲：忒一片撒花心的红影儿吊将来半天。敢是咱梦魂儿厮缠？"（引今本）

（三）《冥判》折：净（判官）"花神，这女鬼说是后花园一梦，为花飞惊闪而亡。可是？"末（花神）"是也。他与秀才梦的绵缠，偶尔落花惊醒。"（按：上文明说花神丢花上惊醒她，这儿却说"偶尔"，似乎在那边抵赖着，一笑。）

既然一片花飞，她就醒了，岂非戏台上花神丢花这一霎，即丽娘梦觉之时，如何精来又唱又做又说呢？

如说这样表演错了，却亦不见得。花神于丢花之后，原本今唱都有这么一段道白。文字略异，引原本：

秀才才到的半梦儿。梦毕之时，好送杜小姐仍归香阁,吾神去也。

何谓"半梦儿"?难道梦中有梦,还是一梦接着一梦呢?我们不明白。况且,牡丹亭、芍药栏,是梦遇,非魂游。梦中万里之遥,醒来当下即是,何劳柳生送回香阁?我看临川自己怕也有些"梦魂儿厮缠"了①。

这些灵怪胭粉自为小说的本色,深求核实,未免太痴。但情节上有些矛盾也总是事实,就记在这里。

(三)唱演方面修改的商榷(其一)

《惊梦》折现在的唱演有好些不合原本的地方。原本自并非全不可移动,但也得看有无必要,改得好否等。这可以分为两部分:(一)从前工师们改的;(二)现在人改的。本节谈第一部分。大体说来,经过多次修改,距离原本渐远,却也有极少个别的地方,最近又改回来了。

---

① 再检原本,好像的确不止一梦。杜女梦醒后自述曰:"欢毕之时,又送我睡眠,几声将息。正待自送那生出门,忽值母亲来到,唤醒将来,我一身冷汗,乃是南柯一梦"叙述很明,且与所唱〔绵搭絮〕"无奈高堂唤醒"之说相合。

工师传习，改变原本，不知起自何年，我们现在的唱演大都照这个样子。是否合理？在舞台表演上可能为另一问题，从文义上看并不这么恰当。以下略举较有关系的五点：

（一）把"借春看"的道白改为"惜春看"。——原本春香念白："已分付催花莺燕借春看。"现在"借"字都改念作"惜"。较正规的曲谱如《集成》等虽仍作"借春看"，而通常不用。有的老艺人主张念作"借春看"，却也不普遍。"惜春看"在文义上不妥当，自以作"借春看"为是。而且"分付催花莺燕借春看"，意谓春时已晚，故莺燕催花，却嘱咐他们留着一点儿，"码后"一些儿，等咱们来看。字面作"借春"，通会全句，意义上正是"惜春"。若明点出"惜"字反而不妥当，非特于文义欠通，莺莺燕燕也不懂得什么爱惜春光的呵。

（二）把丽娘唱的〔醉扶归〕首两句改为春香唱。这个变动较大，却自来都这样，没有照原本唱的，至少我没有听见过。如《集成曲谱》以喜欢复古，改工师的基本为曲友们所不惬的，在这里也不曾改正。这就可见这个唱法相传甚久了。我们都不去轻易变动它。

试引原本与通行唱法于下，改本不妥是很显明的。

（贴）今日穿插的好。（旦唱〔醉扶归〕）你道翠生生出落的裙衫茜，艳晶晶花簪八宝填，可知我一生儿爱好是天然。——影印明刊本

（贴）小姐（唱〔醉扶归〕）你道翠生生出落的裙衫儿茜，艳晶晶花簪八宝填。（旦）春香（接唱）可知我一生儿爱好是天然。——《集成》《遏云》等谱

原本丽娘说"你道"，"你"者，春香；"道"者，指春香上文那句夹白。今改为春香，则丽娘在上文本没有说到关于穿着打扮，则春香云云便落了空。不妥之点一。春香以"你"称呼杜丽娘，在旧式封建家庭，丫鬟对小姐不可能这样你啊你的，看《红楼梦》第五十五回，凤姐和平儿对话就很分明。不妥之点二。"你道……""可知我……"上下相承，语气一贯；今"你道"贴唱，"可知我"旦唱，分为两段。春香说："你说你打扮得这么好阿"，丽娘回答："你可知道爱好是我的天性哩。"好像在那边驳辨。不妥之点三。既然这样的不妥，为什么当初要改，后来又为什么大家不去校正它。这个理由不大明白，大概为了场上丽娘独唱太多，春香冷落之故。这也未尝全无理由，我也并不主张硬改，不过说明在文义上的不妥当罢了。

（三）把游园将毕，丽娘说要回去改成春香发动。——这点变动也很大，自来不受人注意。亦将两本分列于后，加旁点的是相异之处。上接唱词"呖呖莺歌溜的圆"。

（旦）去罢。（贴）这园子委是观之不足也。（旦）提他怎的。（行介）——原本

（贴）小姐，这园子委实观之不足。（旦）提他怎么。留些余兴，明日再来耍子罢。（旦）有理。——今本

上删下增，就把丽娘要回改成春香说走，无论从丽娘或春香方面看都是不妥的。就丽娘说，这和本文第一节说她无心真个游园相关。她听了紫燕黄莺，双双唼巧，不由得惆怅说："回去罢。"春香呢，一个小孩子家，而且好不容易出来一荡，本来没有玩够，听小姐说要回去，便说："这园子委是观之不足也。"丽娘答道："提他怎的。"是小姐要回，丫鬟不要回，原本很明白，和剧情、角色身分亦相合。若如今本，虽仍旧着丽娘"提他怎么"这句话，但丽娘总未说要回，春香何得说出"明日再来耍子"？她又何必说呢？由春香口中宣布游园散会，不特不合剧中她的身分，且亦违反她曾在《闺塾》《肃苑》等折再三表示的意愿。所以这样颠倒是错误的。

话虽如此，今本确也有些好处不可抹杀。原本丽娘的神情——特别她对于春香，似乎过于冷淡了。今本春香"留些

余兴"的说法固系散会之词,却有留连不舍之意,说得很委婉。杜丽娘早已兴尽了。何以知之?她说:"去罢",一也。说"提他怎的",二也。唱〔隔尾〕末句:"到不如兴尽回家闲过遣",三也。其为兴尽固甚明,然而春香既这般婉转地说着,丽娘不忍过拂心爱的丫鬟的意思,只得回答道:"有理。"这"有理"二字虽和下面唱词明白地矛盾着,但两人一番问答,很能传神,无怪歌场舞榭这般唱演了。

因此我主张糅合两本之长,有如下式:

> (旦)春香,我们回去罢。(贴)这园子委实观之不足。(旦)提他怎么。(贴)留些余兴,明日再来耍子罢。(旦)有理。

这样,对今日的演法,变动不大,而改进却很多。

(四)把〔山桃红〕前腔的"合头"首句改换。——凡叠用前腔,合头照例不动,所谓"合前"是也。《惊梦》两只〔山桃红〕,合头并作:"是那处曾相见?相看俨然。早难道好处相逢无一言。"这正和《红楼梦》第五回宝玉初见黛玉的说法相似。以有夙缘,故似曾相识。后人大约以为杜、柳初见时说这个可以,在幽欢以后再唱什么"是那处曾相见",未免

杂谈《牡丹亭·惊梦》 / **241**

于情事不合；所以于第一曲合头不动，于第二曲合头，却把其中第一句改为"我欲去还留恋"。这从曲律或文义来看都是错的。因之有些坊本老谱，如清光绪二十二年的《霓裳文艺全谱》就把〔山桃红〕前腔的合头移后，移到末句"早难道好处相逢无一言"上面去，也就是说，把这"我欲去还留恋"不算它合头。这办法当然也不对，却可以表出工师老辈很知道在合头里改词是不妥当的。

在这地方，喜爱复古的《集成》等谱，照例要改从原本。事实上恐也不曾发生多大效果，就我自己说，三十年前曾在曲会里照《集成》谱唱过一次，弄得"陪"我唱的前辈曲家很有些尴尬。我至今回想起来很惭愧，后来自然也不这么唱了。

若问既然错了，改回来有什么不好？我可回答不上来。但却另有一种看法。何谓曲文的本色？好比吊桶脱了底一般。所谓"西山朝来，致有爽气"，实一语道破。"我欲去还留恋"固然粗糙，且违反曲律，却直直落落，大家懂得。"是那处曾相见"固深刻美妙，用在第二只〔山桃红〕上合前，得叫人想一想方能体会过来。多了一曲，虽不至于别扭，却总有些粘皮带骨。况且表演方面，杜、柳再上场时，还作似曾相识的姿态否耶？怕也有些问题。所以这个改动是似误非误的一个变例。

（五）把〔尾声〕之前春香重上念白删去。——各谱大都这样。依原本，无所谓"游园"，《惊梦》为一整出，春香出场，虽中间暂下，自必须终场；依通行本，〔隔尾〕下有"去去就来"之说，何以去而不来呢？也失了照应，都可以说删得不对。从另一方面看，"游园""惊梦"事实上早已分开；饰春香的要扎扮着等很长的"惊梦"唱完，或者还有"堆花"；而且，上来呢，也没有什么事；再说，甫在昼眠，就说熏着被窝，请小姐安寝，时间也不大对头，也可以说删得恰当。最近在这点上又有恢复原本演出的。就作意剧情说来，这点的关系并不小，见下。

旧日工师移动原本处，大概有以上这五点。此外还有一些，如添梦神，见下。如原本丽娘在梦前梦后各有一段很长的独白，从来没有照它念的，念起来怕太冗长。因之在开首结尾各只留剩两三句，以外都删了去。我想，这一删节大约非常早，也是必要的。不过丽娘经过这样奇梦，迄未倾吐她的心事，含蓄有余，醒豁不足，在表演上容易显得有些"瘟"，总不为全美也。

（四）唱演方面修改的商榷（其二）

本节谈关于现在人修改本折的得失，大都对于旧本的修改（即对于晚近的通行唱法），若仍旧改原，已在上节说过了。大致的倾向，改旧则离原本愈远，虽有个别的例外。这些改变有见于曲谱的，如下边的（二）；有曲谱未载，实际上已在唱演的，如（一）、（三）、（四）、（五）。这里每提到一点最近上海戏曲学校的改本。

（一）在唱〔步步娇〕曲里，春香为丽娘梳妆换衣服，显得时间很局促，于是把换衣裳这一行动给删了去，也有两式：（甲）索性把上面的道白改了。如旦白："取镜台衣服过来。"改为"取镜台过来"；贴白："镜台衣服在此。"改为"镜台在此"。（乙）上边的白口不动，说有镜台衣服，而春香只取镜台，不取衣服。很显明，这两个办法都不好，甲式为尤甚。

如压根不提衣服，那么何以解于春香念的"罗衣欲换更添香"？而且下文〔醉扶归〕曲所谓"翠生生出落的裙衫儿茜"，就指着这件粉红衣裳说的。若丽娘叫取镜台衣服过来，春香也说镜台衣服在此，事实上偏没有衣服。这又很像"皇帝的新衣"了。

我曾看韩世昌先生演这戏，梳妆换衣，采用"老路子"，也并不显得过于匆忙，不过春香动作较多，唱得较少而已。依我的外行看法，既然在舞台上问题不大，改词颇妨文义，不改词，说有衣服却偏没有，会使观众糊涂，倒不如不改。

此外还有一个扩展时间的办法，即上海戏曲学校的改本。旦贴对白不动，梳妆换衣都不删减。在"摇漾春如线"下面加了一大段"过门"。注曰："贴与旦更衣梳头动作，笛停，其它乐器奏过门。"下接"停半响，整花钿"。昆曲本没有"过门"的，或者有人不赞成加。我以为如在台上收效果很好，加添"过门"也未为不可。我们正不必死抱着昆曲的清规戒律来束缚自己。

（二）在〔好姐姐〕曲首句，特别在"遍青山"这一部分加介白。《好姐姐》曲原本介白很少，后来艺工以传唱需要，逐渐增添，如《遏云》《集成》等谱，添得还算妥当，现在越添越多了。我认为"遍青山"的"贴介"，不但没有必要，而且是错误的。

> （贴介）这是青山。（旦连）遍青山，（贴介）那是杜鹃花。（旦连）啼红了杜鹃。（贴介）这是荼蘼架。（旦连）那荼蘼外烟丝醉软。（《粟庐曲谱》上，上海戏曲学校改本略同。）

这里的错误有好几点：（甲）"遍青山啼红了杜鹃"应是一整

杂谈《牡丹亭·惊梦》／245

句，现在却把它分成两段。（乙）青山者，远山[①]，我们不能眺望青山同时又看见山中的杜鹃花。若说花开园内，不在山中，那一句更成为两橛了。（丙）春香说"这是青山"，丽娘就唱"遍青山"，春香说"那是杜鹃花"，丽娘就接"啼红了杜鹃"；春香又说"这是荼蘼架"，丽娘又接唱"荼蘼外烟丝醉软"；杜丽娘什么都不懂得，全靠春香一一告诉她，好像南方人所谓"呆大"。（丁）南安太守衙门望见青山否不得而知。从"晓来望断梅关"句来看，可能望得见的。但山为庞然大物，丽娘岂看不见，要等春香来指引呢？所以这一句介白比以下各句更觉不妥。

再略谈这句的文义。他说"遍青山啼红了杜鹃"，不说"青山开遍了杜鹃"，鸟啼则实，花开是虚。映山红开花，正值杜鹃啼血的时候，花遂因鸟而得名。本句虽说鸟啼，兼指花开，下文借了瓶插"映山紫"，明照园内有这样的花，语意双关，似虚似实，耐人寻味。旧谱只有一句介白："杜鹃花开得好盛吓"，补足唱词之意，这原是比较妥当的。今添上"这是青山"一句，便把下文本来不坏的介白，也显得呆板了。

（三）删去睡魔神的出场。这还不见于曲谱，在舞台上有

[①] 明刊本作"春山啼红了杜鹃"，亦是虚说。

这样删减的。上海戏曲学校的改本已没有睡魔神了。按说：原本也无睡魔神，则如此删节，似可以说为"从原"。事实上也不尽然。传奇的原本科介场面写得非常简单，并非就可照此上演，本预备艺工们去添的。它不写上，并不等于没有。明刊本《牡丹亭》于杜女唱后只写着"睡科""梦科"，固不曾有梦神上场，但怎样入梦没有硬性规定。增添睡魔神，也不必违反作者的意思。

睡魔神出场，留着它可以使醒梦的界画分明；删去这个并没有什么好处。若为破除迷信，花神难道不是？下文的判官难道不是？进一步说，《还魂记》故事的重点，人死了三年还会重活，何尝不是荒唐无稽之谈。稍改，不管事；彻底的改，那就取消了《牡丹亭》。

（四）把丽娘于梦中叫"秀才"，依下文杜母所闻，缩为一个"秀"字。这不见于曲谱，直到近来上海的改本才写上。这也是错误的。梦中什么话不可说。原本比这"秀才"两字还要多得多哩，写道：

秀才，秀才，你去了也。

梦中的话语不妨缠绵，而真在嘴里念明自然成为片段，只剩得一个字，而为杜母所闻，丽娘还可以用同音字来掩饰。前后文的情况既不同，不得依后文来统一前文。曲谱上虽不载，而在唱客演员口中已相当普遍了。

以上四点，如今所改，我个人认为至少没有改的必要。第五点初见于舞台演出，近又见于上海戏曲学校的改本，春香在剧末又上，恢复了原本，使《惊梦》全折比较完整，这倒是没有问题的。在上节提到，于昼寝之后，即接春香白："晚妆销粉印，春润费香篝，小姐，薰了被窝睡罢。"时间上未免稍早了一些。这不仅是过场小节，实与作意相关①。作者这样写，当然有一种原故。杜丽娘思寻前梦，故道："那梦儿还去不远。"与后来到花圃去找梦的痕迹，虽然找法不同，其为寻寻觅觅则一，实已暗逗下文《寻梦》一折了。

关于上海戏曲学校的改本，上面已提到的，不再赘说。在"惊梦""堆花"部分，文词改动得很多。把〔山桃红〕两曲色情语改了去，在昆剧的普及上，也有相当的方便。但有些地方实在无须改得，实亦不胜其改。"梦儿里相逢，梦儿里合

---

① 春香上场念白，实为上下曲文照应，其功用等于夹白。杜唱〔尾声〕"香薰绣被眠"即复述春香语，却加上"也不索"三字便灵活了。她不说要睡，也不说不要；似乎要睡，又似乎不，虚空摹拟，妙笔传神，真能够写出梦魂颠倒茶饭不思的实况来，逗起下文无数情事。这〔尾声〕的作用既不限于总结"游园惊梦"，时间早晚些，故无关本意耳。

欢"（见〔双声子〕曲），既是剧中主要的情节，替他遮饰自属徒劳。关于唯心的观点亦然。个别字句，改文有错误处，例如"心悠步嚲"改为"心忧步嚲"之类，这里也不列举了。

《牡丹亭》一剧，明、清两代曾经不断的修改；当作者生前已有这样的情况，作者对它深表愤慨，见《玉茗堂尺牍》，到今天咱们还在大改而特改，对原作的功罪，实在很难说了。这篇短文，只讲到一些文词和唱演的关系，供戏剧界同好的参考。其他如唱念字音曲子旁谱，文词解释等等，恐过于繁琐，都不曾谈到。

一九五七年五月十日

说"借"字古今音读与《牡丹亭·惊梦》[①]

（一）

"借"，今只一音，子夜反，南北稍异，南音较古。韵书去入二音。清刊《佩文诗韵释要》，于去声二十二祃，入声十一陌并收"借"字，曰"假"也，无异义。前代则分"求、予"两面，义亦有别。

"借"字之音盖有三变，由入声而去入两用，终独用去声。段注《说文解字》第八篇上：

> 借，假也，从人，昔声，资昔切。

---

① 原刊《论诗词曲杂著》，上海古籍出版社1983年10月出版。

其读入声甚明。古无去入之别。及后分四声，则有两音，又为两义，盖非古也。今亦不分，借予每用"贷"字。《说文》第六篇下，"贷"字下段注：

> 又如"假、借"二字，皆为求者予者之通名。唐人亦有"求读上入，予读两去"[①]之说，古皆未必有。

唐人之说未详所出。若李济翁《资暇录》"借书条"亦部分相合，录如下：

> 借借上子亦反，下子夜反（此原注）书籍。俗曰："借（求也，入声，音迹）一痴，借（予也，去声，如今音）二痴，索三痴，还四痴。"

音义区别甚明。若借书何痴之有，意不明了，兹不具论。唐人如是分读，上或远溯六朝，下限当及明代。至清时韵书尚存二

---

① "求读上入，予读两去"，分指"假""借"二字，如下：
   假｛求——上声"马"，音贾。
      予——去声"祸"，音价。
   借｛求——入声"陌"，音迹。
      予——去声"祸"，即今音。

说"借"字古今音读与《牡丹亭·惊梦》／**251**

音，已无二义，口语则并二音亦无之，"迹"音之佚久矣。一音似复其初，恰正相反，古代并子亦切，近时并子夜切。

（二）

我本不谙小学，上边这一段是从昆曲的文字上引起的。虽只一星半点之微，而我向来不懂。前有杂谈《牡丹亭·惊梦》一文亦未提及此事，只怀疑未释耳。

原是在手面上的一句话，一个字或半个字，实际却不易改。"惊梦"上半俗称"游园"，且贴定场白之末句"已分付催花莺燕借春看"，文义本无问题。《还魂记》各本均同，无异文。书本如此，实际上唱演偏偏不然，"借"皆作"惜"。"惜春"很好，其下不能再加"动"词。"惜春看"是欠通的，口语里也没有这般的说法。更奇怪的，念"惜"字并无例外，通行曲本如此，唱演亦如此，从没有把它读作"借茶""借靴"之"借"的（子夜切）。书面口头，双双对立。即曲社中知音存古之老辈，我亦未闻他改正此字，可见是改不动的。"借"字出原书，合文法，何故不能用耶？

这里有个老问题：信书本还是信口说？依理说，当信书本。然孟子不云乎："尽信书则不如无书。"书当然要查检的，却不宜呆读。有些地方工师口耳相传之真，或可补书中所未及，且口说仍缘书本而来，非两橛也。从这"借"字亦可窥见一斑。

请先辨"借"字在句中之义，次由义审音，后言其致讹与改正。"借"有求、予二义，则"催花莺燕"下当用何义？"游园"一套，全说春光晼晚，如"原来姹紫嫣红开遍"，接唱杜鹃啼遍，荼蘼开了，那"牡丹虽好，他春归怎占的先"，可谓情见乎词，一唱三叹矣。春香想为小姐留春解闷。莺燕原是催花，今向东皇更乞，宁无晚秀余芳耶。此"借"自是乞求之意。依义定音，自当读"迹"。清代尚有二音，况在明代，自适用于《牡丹亭》。且定场白本是集诗词成句，采唐人分读之法亦合。伶工虽将字形弄错，却始终读作入声，这是一点不错的。盖传自前朝，其流远矣。

借之读迹是致误的关键。旧音久已不用，伶工当然不知。若读如字去声，则与师传之入声不合，遂讹"借"为"惜"。这"惜"字不知出于何典，与"资昔切"之"借"，区别只在几微之间，于形只差一边旁，于音只隔一声母。惟其微也，更易缠错。其尤易引起淆乱者，更在于意义。"借春"正合曲情（见上），仅看字面不从语法上辨别之，非但不知其误，还觉得很好。相传不改，亦其宜也。

却亦不能说是应当错的,改正只一举手之劳耳。在曲谱上作"借春看","借"字右下角圈作入声,便得"迹"音。我意不改,而有了解亦无不可。径将"借"字读"迹",似乎无伤大雅,也不会有人挑眼的。或比既复古又标新要好一点罢。

一九八三年三月十五日北京

〔附记〕于写后又见《还魂记》第十六折《诘病》〔清平乐〕:"如花娇怯,合得天饶借。风雨于花生分劣,作意十分凌籍。"全押入声,"借"音迹无疑。

《牡丹亭》"丹"字的用法[①]

（附说英文"狗"字）

实字虚用，古来有之。如"春风风人，夏雨雨人"是最显明的例子。风风雨雨，同一字也。上是名词，下是动词。

词性随词位而变，却有一种习惯性，得凭借记载"依样画葫芦"地用之。若要个别自创，于理亦无不可，却不容易，怕旁人看不懂，就失了"辞达"的意义。好奇者未必没有，这儿先举一例。

汤若士是杰出的天才，他的《还魂记》是不朽的名著。文章却很怪，虽有注解，并不能解答多少问题。有些词句是他别出心裁，前无古人。如《牡丹亭》卷上第十六折《诘病》〔驻马听〕贴唱：

---

① 原刊《论诗词曲杂著》，上海古籍出版社1983年10月出版。

则（只）除是八法针针断软绵情。怕九还丹丹不的（得）腌臜证。

"针""丹"二字各连用，上一字实，下一字虚，正与上引"春风""夏雨"之例相同。上句"针断"正说，下句"丹不的"反说。此"丹"字不能用他字替换，是仙丹治不了之意。"针"作动词用常见，"丹"字如此用，却未见过，人亦不解，恐是汤氏的独创，或者杜撰。原则上固未必不合于中国的文法，而我们说吃丸药，无论文言、白话从来不用这"丹"字的。似通非通，不通得妙；妙在是下句，有上句"针断软绵情"作引，等于预先解释了。若突兀地来个"丹不的"便真的不通了。其区别只在丝发毫厘间。这好比擦边球，差一点儿就要出界的，险极之笔！

附带说说，英文也有名词转化为动词之例，与中文相同。但各有其习惯，不能互通直译。如dog（狗）作动词，尾随之意。漫举一例：

……as he dogs Aaron Cohen's footsteps[①]译为："像他

[①] 见阿克西《摄政公园谋杀案》（Orczy: The Regent's Park Murder, 1932）。

尾随A.C的脚步。"

看译文很平淡,较原句差得多。但中文里能说"他'狗'某人的脚步"吗?不能!一言蔽之,"约定俗成",不能硬造。

原文直用"狗"字形象化,得寸步不离之神。英文里尚不能改字,何况他国。若一解释,便味同嚼蜡了。所谓"嚼饭哺人"得饱无求,斯喻最确。

一九八三年五月十五日

国家新闻出版广电总局
首届向全国推荐中华优秀传统文化普及图书

大家小书书目

国学救亡讲演录	章太炎 著 蒙 木 编
门外文谈	鲁 迅 著
经典常谈	朱自清 著
语言与文化	罗常培 著
习坎庸言校正	罗 庸 著 杜志勇 校注
鸭池十讲（增订本）	罗 庸 著 杜志勇 编订
古代汉语常识	王 力 著
国学概论新编	谭正璧 编著
文言尺牍入门	谭正璧 著
日用交谊尺牍	谭正璧 著
敦煌学概论	姜亮夫 著
训诂简论	陆宗达 著
金石丛话	施蛰存 著
常识	周有光 著 叶 芳 编
文言津逮	张中行 著
经学常谈	屈守元 著
国学讲演录	程应镠 著
英语学习	李赋宁 著
中国字典史略	刘叶秋 著
语文修养	刘叶秋 著
笔祸史谈丛	黄 裳 著
古典目录学浅说	来新夏 著
闲谈写对联	白化文 著
汉字知识	郭锡良 著
怎样使用标点符号（增订本）	苏培成 著
汉字构型学讲座	王 宁 著

诗境浅说	俞陛云 著	
唐五代词境浅说	俞陛云 著	
北宋词境浅说	俞陛云 著	
南宋词境浅说	俞陛云 著	
人间词话新注	王国维 著	滕咸惠 校注
苏辛词说	顾随 著	陈均 校
诗论	朱光潜 著	
唐五代两宋词史稿	郑振铎 著	
唐诗杂论	闻一多 著	
诗词格律概要	王力 著	
唐宋词欣赏	夏承焘 著	
槐屋古诗说	俞平伯 著	
词学十讲	龙榆生 著	
词曲概论	龙榆生 著	
唐宋词格律	龙榆生 著	
楚辞今绎讲录	姜亮夫 著	
中国古典诗歌讲稿	浦江清 著 浦汉明 彭书麟 整理	
唐人绝句启蒙	李霁野 著	
唐宋词启蒙	李霁野 著	
唐诗研究	胡云翼 著	
风诗心赏	萧涤非 著	萧光乾 萧海川 编
人民诗人杜甫	萧涤非 著	萧光乾 萧海川 编
唐宋词概说	吴世昌 著	
宋词赏析	沈祖棻 著	
唐人七绝诗浅释	沈祖棻 著	
道教徒的诗人李白及其痛苦	李长之 著	
英美现代诗谈	王佐良 著	董伯韬 编
闲坐说诗经	金性尧 著	
陶渊明批评	萧望卿 著	
古典诗文述略	吴小如 著	

怎样阅读现代派诗歌	郑敏 著	
新诗与传统	郑敏 著	
舒芜说诗	舒芜 著	
名篇词例选说	叶嘉莹 著	
汉魏六朝诗简说	王运熙 著	董伯韬 编
唐诗纵横谈	周勋初 著	
楚辞讲座	汤炳正 著	
	汤序波 汤文瑞 整理	
好诗不厌百回读	袁行霈 著	
山水有清音 ——古代山水田园诗鉴要	葛晓音 著	
红楼梦考证	胡适 著	
《水浒传》考证	胡适 著	
《水浒传》与中国社会	萨孟武 著	
《西游记》与中国古代政治	萨孟武 著	
《红楼梦》与中国旧家庭	萨孟武 著	
《金瓶梅》人物	孟超 著	张光宇 绘
水泊梁山英雄谱	孟超 著	张光宇 绘
水浒五论	聂绀弩 著	
《三国演义》试论	董每戡 著	
《红楼梦》的艺术生命	吴组缃 著	刘勇强 编
《红楼梦》探源	吴世昌 著	
《西游记》漫话	林庚 著	
史诗《红楼梦》	何其芳 著	
	王叔晖 图	蒙木 编
细说红楼	周绍良 著	
红楼小讲	周汝昌 著	周伦玲 整理
曹雪芹的故事	周汝昌 著	周伦玲 整理
古典小说漫稿	吴小如 著	

三生石上旧精魂		
——中国古代小说与宗教	白化文 著	
《金瓶梅》十二讲	宁宗一 著	
古体小说论要	程毅中 著	
近体小说论要	程毅中 著	
《聊斋志异》面面观	马振方 著	
我的杂学	周作人 著	张丽华 编
写作常谈	叶圣陶 著	
中国骈文概论	瞿兑之 著	
论雅俗共赏	朱自清 著	
文学概论讲义	老 舍 著	
中国文学史导论	罗 庸 著	杜志勇 辑校
给少男少女	李霁野 著	
古典文学略述	王季思 著	王兆凯 编
古典戏曲略说	王季思 著	王兆凯 编
西洋戏剧简史	董每戡 著	
中国戏剧简史	董每戡 著	
鲁迅批判	李长之 著	
说八股	启 功 张中行 金克木 著	
译余偶拾	杨宪益 著	
文学漫识	杨宪益 著	
三国谈心录	金性尧 著	
夜阑话韩柳	金性尧 著	
漫谈西方文学	李赋宁 著	
历代笔记概述	刘叶秋 著	
周作人概观	舒 芜 著	
怎样学习古代文学	王运熙 著	董伯韬 编
有琴一张	资中筠 著	
西与东	乐黛云 著	
新文学小讲	严家炎 著	

回归，还是出发	高尔泰	著
文学的阅读	洪子诚	著
中国文学1949—1989	洪子诚	著
鲁迅作品细读	钱理群	著
中国戏曲	么书仪	著
元曲十题	么书仪	著
唐宋八大家 ——古代散文的典范	葛晓音	选译
辛亥革命	吴玉章	著
中国历史讲话	熊十力	著
中国史学入门	顾颉刚 著	何启君 整理
秦汉的方士与儒生	顾颉刚	著
三国史话	吕思勉	著
史学要论	李大钊	著
中国近代史	蒋廷黻	著
民族与古代中国史	傅斯年	著
五谷史话	万国鼎 著	徐定懿 编
民族文话	郑振铎	著
史料与史学	翦伯赞	著
唐代社会概略	黄现璠	著
清史简述	郑天挺	著
两汉社会生活概述	谢国桢	著
中国文化与中国的兵	雷海宗	著
元史讲座	韩儒林	著
海上丝路与文化交流	常任侠	著
中国史纲	张荫麟	著
两宋史纲	张荫麟	著
北宋政治改革家王安石	邓广铭	著
从紫禁城到故宫 ——营建、艺术、史事	单士元	著

春秋史	童书业 著
明史简述	吴 晗 著
旧史新谈	吴 晗 著 习之 编
史学遗产六讲	白寿彝 著
杨向奎说上古史	杨向奎 著
司马迁之人格与风格	李长之 著
舆地勾稽六十年	谭其骧 著
魏晋南北朝隋唐史	唐长孺 著
秦汉史略	何兹全 著
魏晋南北朝史略	何兹全 著
司马迁	季镇淮 著
唐王朝的崛起与兴盛	汪 篯 著
二千年间	胡 绳 著
论三国人物	方诗铭 著
考古发现与中西文化交流	宿 白 著
清史三百年	戴 逸 著
清史寻踪	戴 逸 著
走出中国近代史	章开沅 著
中国古代政治文明讲略	张传玺 著
艺术、神话与祭祀	张光直 著
	刘 静 乌鲁木加甫 译
中国古代衣食住行	许嘉璐 著
辽夏金元小史	邱树森 著
中国古代史学十讲	瞿林东 著
宾虹论画	黄宾虹 著
中国绘画史	陈师曾 著
和青年朋友谈书法	沈尹默 著
中国画法研究	吕凤子 著
桥梁史话	茅以升 著
中国戏剧史讲座	周贻白 著

俞平伯说昆曲	俞平伯 著	陈 均 编
新建筑与流派	童 寯 著	
论园	童 寯 著	
拙匠随笔	梁思成 著	林 洙 编
中国建筑艺术	梁思成 著	林 洙 编
沈从文讲文物	沈从文 著	王 风 编
中国画的艺术	徐悲鸿 著	马小起 编
中国绘画史纲	傅抱石 著	
龙坡谈艺	台静农 著	
中国舞蹈史话	常任侠 著	
中国美术史谈	常任侠 著	
说书与戏曲	金受申 著	
世界美术名作二十讲	傅 雷 著	
中国画论体系及其批评	李长之 著	
金石书画漫谈	启 功 著	赵仁珪 编
吞山怀谷 ——中国山水园林艺术	汪菊渊 著	
故宫探微	朱家溍 著	
中国古代音乐与舞蹈	阴法鲁 著	刘玉才 编
梓翁说园	陈从周 著	
旧戏新谈	黄 裳 著	
民间年画十讲	王树村 著	姜彦文 编
民间美术与民俗	王树村 著	姜彦文 编
长城史话	罗哲文 著	
人巧与天工 ——中国古园林六讲	罗哲文 著	
现代建筑奠基人	罗小未 著	
世界桥梁趣谈	唐寰澄 著	
如何欣赏一座桥	唐寰澄 著	
桥梁的故事	唐寰澄 著	

园林的意境	周维权	著
万方安和		
——皇家园林的故事	周维权	著
乡土漫谈	陈志华	著
现代建筑的故事	吴焕加	著
中国古代建筑概说	傅熹年	著
简易哲学纲要	蔡元培	著
大学教育	蔡元培	著
	北大元培学院	编
老子、孔子、墨子及其学派	梁启超	著
春秋战国思想史话	嵇文甫	著
晚明思想史论	嵇文甫	著
新人生论	冯友兰	著
中国哲学与未来世界哲学	冯友兰	著
谈美书简	朱光潜	著
中国古代心理学思想	潘菽	著
佛教基本知识	周叔迦	著
儒学述要	罗庸 著 杜志勇	辑校
周易简要	李镜池 著 李铭建	编
希腊漫话	罗念生	著
佛教常识答问	赵朴初	著
大一统与儒家思想	杨向奎	著
孔子的故事	李长之	著
西洋哲学史	李长之	著
哲学讲话	艾思奇	著
中国文化六讲	何兹全	著
墨子与墨家	任继愈	著
中华慧命续千年	萧萐父	著
儒学十讲	汤一介	著
汉化佛教与佛寺	白化文	著

传统文化六讲	金开诚 著	金舒年 徐令缘 编
美是自由的象征	高尔泰 著	
论美	高尔泰 著	
中华文化片论	冯天瑜 著	
儒者的智慧	郭齐勇 著	
中国政治思想史	吕思勉 著	
市政制度	张慰慈 著	
政治学大纲	张慰慈 著	
民俗与迷信	江绍原 著	陈泳超 整理
乡土中国	费孝通 著	
社会调查自白	费孝通 著	
怎样做好律师	张思之 著	孙国栋 编
中西之交	陈乐民 著	
法律常识	江平 著	孙国栋 编
经济学常识	吴敬琏 著	马国川 编
天道与人文	竺可桢 著	施爱东 编
中国医学史略	范行准 著	
优选法与统筹法平话	华罗庚 著	
数学知识竞赛五讲	华罗庚 著	

出版说明

"大家小书"多是一代大家的经典著作,在还属于手抄的著述年代里,每个字都是经过作者精琢细磨之后所拣选的。为尊重作者写作习惯和遣词风格、尊重语言文字自身发展流变的规律,为读者提供一个可靠的版本,"大家小书"对于已经经典化的作品不进行现代汉语的规范化处理。

提请读者特别注意。

北京出版社